6단계B 완성 스케줄표

공부한 날		주	일	학습 내용
월	일	**1**주	도입	1주에는 무엇을 공부할까?
			1일	조건식에 따라 계산하기
월	일		2일	부분의 양으로 전체의 양 구하기
월	일		3일	계산 결과에 맞는 식 만들기
월	일		4일	어림하기, 소수점 아래 숫자의 규칙
월	일		5일	거리, 속력, 시간
			특강 / 평가	창의·융합·코딩 / 누구나 100점 테스트
월	일	**2**주	도입	2주에는 무엇을 공부할까?
			1일	쌓기나무를 여러 방향에서 본 모양
월	일		2일	직육면체(정육면체) 만들기
월	일		3일	보이지 않는 곳의 쌓기나무
월	일		4일	여러 가지 모양 만들기
월	일		5일	곱셈식을 비례식으로 나타내기
			특강 / 평가	창의·융합·코딩 / 누구나 100점 테스트
월	일	**3**주	도입	3주에는 무엇을 공부할까?
			1일	비례식 세우는 방법
월	일		2일	넓이의 비, 톱니바퀴 회전수 구하기
월	일		3일	이익금 구하기
월	일		4일	원주 구하기의 활용
월	일		5일	굴러간 거리, 돌아간 바퀴 수
			특강 / 평가	창의·융합·코딩 / 누구나 100점 테스트
월	일	**4**주	도입	4주에는 무엇을 공부할까?
			1일	원의 넓이 구하기의 활용
월	일		2일	원주와 지름, 원의 넓이와 반지름
월	일		3일	입체도형의 이해
월	일		4일	원기둥의 전개도 활용
월	일		5일	여러 방향에서 본 모양과 단면
월	일		특강 / 평가	창의·융합·코딩 / 누구나 100점 테스트

공부한 날을 표시하고 하루하루 학습 내용을 살펴보세요.

**Chunjae
Makes
Chunjae**

▼

기획총괄	김안나
편집개발	김정희, 이근우, 서진호, 한인숙, 최수정, 김혜민, 박웅, 김현주
디자인총괄	김희정
표지디자인	윤순미, 안채리
내지디자인	박희춘, 이혜미
제작	황성진, 조규영

발행일	2021년 4월 15일 초판 2021년 4월 15일 1쇄
발행인	(주)천재교육
주소	서울시 금천구 가산로9길 54
신고번호	제2001-000018호
고객센터	1577-0902

똑 똑 한

하루
사고력

창의·융합·서술·코딩

초등
수학 **6B**
6학년 수준

구성 및 특장

똑똑한 하루 사고력

어떤 문제가 주어지더라도 해결할 수 있는 능력,
이미 알고 있는 것을 바탕으로 새로운 것을 이해하는 능력
위와 같은 능력이 사고력입니다.

똑똑한 하루 사고력

개념 · 원리 길잡이

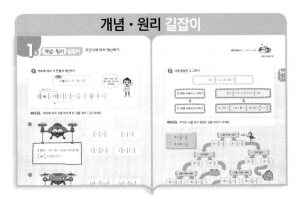

개념과 원리를 배우고 문제를 통해 익힙니다.

하루에 6쪽씩
하나의
주제로 학습합니다.

서술형 · 독해력 길잡이

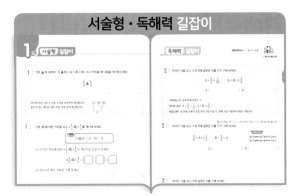

서술형 문제를 푸는 연습을 하고 긴 문제도 해석할 수
있는 독해력을 키웁니다.

사고력 · 코딩

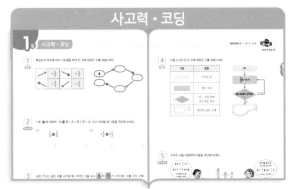

한 주 동안 학습한 내용과 관련 있는 창의 · 융합 문제와
코딩 문제를 풀어 봅니다.

똑똑한 하루 사고력   특강과 테스트

한 주의 특강

특강 부분을 통해 더
다양한 사고력 문제를
풀어 봅니다.

누구나 100점 테스트

한 주 동안 공부한 내용
으로 테스트합니다.

차례

오늘 용돈 받았는데 햄버거를 사서 나눠 먹자.

정말?

고마워~ 잘 먹을게.

음식을 주문하는 화면에서 주문을 하자.

뭐 먹을래?

버거왕이 맛있어 보인다.

딩동!!

$$\frac{3}{4} \div \frac{2}{3}$$

2가지 방법으로 계산하면 같은 가격으로 큰 사이즈를 드립니다.

큰 사이즈로 먹을 수 있게 해 주라!

다음과 같이 계산하면 계산 결과는 $1\frac{1}{8}$이야.

방법1 통분하여 계산

$$\frac{3}{4} \div \frac{2}{3} = \frac{9}{12} \div \frac{8}{12} = 9 \div 8 = \frac{9}{8} = 1\frac{1}{8}$$

방법2 곱셈으로 바꾸어 계산

$$\frac{3}{4} \div \frac{2}{3} = \frac{3}{4} \times \frac{3}{2} = \frac{9}{8} = 1\frac{1}{8}$$

이 정도 문제는 쉽지.

추로스를 1개 추가해서 먹자.

추로스 15.2 cm를 3.8 cm씩 자르면 몇 도막이 될까요?

맞히면 길지롱 추로스로 바꿔 드립니다.

분수의 나눗셈으로 바꾸어 계산하거나 세로로 계산할 수 있어.

$$15.2 \div 3.8 = \frac{152}{10} \div \frac{38}{10}$$
$$= 152 \div 38$$
$$= 4$$

$$3.8 \overline{)15.2} \\ 152 \\ 0$$

축하합니다! 길지롱 추로스를 획득하셨습니다!

만세~

햄버거가 내 얼굴만 해.

길지롱 추로스는 내 키만 해.

햄버거와 추로스를 내가 나눠 줄게.

어때? 공평하지?

때릴까……

나눗셈을 곱셈으로 바꾸고 나누는 수의 분모와 분자를 바꾸어 계산해요.

$$\frac{2}{5} \div \frac{3}{4} = \frac{2}{5} \times \frac{4}{3} = \frac{8}{15}$$

대분수가 있으면 가장 먼저 대분수를 가분수로 바꿔야 해요.

$$2\frac{1}{2} \div 2\frac{2}{3} = \frac{5}{2} \div \frac{8}{3} = \frac{5}{2} \times \frac{3}{8} = \frac{15}{16}$$

【 확인 문제 】

1-1 나눗셈식을 곱셈식으로 나타내어 계산해 보세요.

(1) $\dfrac{8}{9} \div \dfrac{3}{5} = \dfrac{8}{9} \times \dfrac{\square}{\square}$

$$= \dfrac{\square}{\square} = \square \dfrac{\square}{\square}$$

(2) $1\dfrac{1}{3} \div 2\dfrac{1}{2} = \dfrac{\square}{3} \div \dfrac{\square}{2}$

$$= \dfrac{\square}{3} \times \dfrac{\square}{\square}$$

$$= \dfrac{\square}{\square}$$

【 한번 더 】

1-2 나눗셈식을 곱셈식으로 나타내어 계산해 보세요.

(1) $\dfrac{5}{6} \div \dfrac{3}{7} = \dfrac{5}{6} \times \dfrac{\square}{\square}$

$$= \dfrac{\square}{\square} = \square \dfrac{\square}{\square}$$

(2) $2\dfrac{2}{5} \div 1\dfrac{3}{4} = \dfrac{\square}{5} \div \dfrac{\square}{4}$

$$= \dfrac{\square}{5} \times \dfrac{4}{\square}$$

$$= \dfrac{\square}{\square} = \square \dfrac{\square}{\square}$$

2-1 계산해 보세요.

(1) $\dfrac{3}{8} \div \dfrac{2}{5}$

(2) $5\dfrac{5}{6} \div 3\dfrac{4}{7}$

2-2 계산해 보세요.

(1) $\dfrac{5}{9} \div \dfrac{2}{3}$

(2) $2\dfrac{1}{4} \div 1\dfrac{1}{2}$

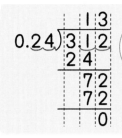

나누는 수와 나누어지는 수의 소수점을 똑같이 옮겨서 계산해요.

자릿수가 다른 소수의 나눗셈에서 몫의 소수점은 옮긴 소수점의 위치에 맞춰요.

확인 문제

3-1 보기 와 같이 분수의 나눗셈으로 계산해 보세요.

보기

$$2.4 \div 0.3 = \frac{24}{10} \div \frac{3}{10}$$
$$= 24 \div 3 = 8$$

$7.8 \div 0.6$

한번 더

3-2 보기 와 같이 분수의 나눗셈으로 계산해 보세요.

보기

$$2.16 \div 0.54 = \frac{216}{100} \div \frac{54}{100}$$
$$= 216 \div 54 = 4$$

$8.51 \div 0.37$

4-1 계산해 보세요.

(1) $1.2\,)\overline{8.4}$

(2) $3.5\,2\,)\overline{7\,7.4\,4}$

(3) $8.84 \div 2.6$

(4) $9 \div 3.6$

4-2 계산해 보세요.

(1) $0.8\,)\overline{9.6}$

(2) $1.3\,4\,)\overline{3\,6.1\,8}$

(3) $13.92 \div 4.8$

(4) $12 \div 0.25$

1 약속에 따라 식 만들어 계산하기

약속

$$A ★ B = (A + B) ÷ B$$

괄호가 있는 식은 괄호 안을 가장 먼저 계산해요.

★ 앞에 있는 수

$$1\frac{1}{2} ★ \frac{2}{5} = \left(1\frac{1}{2} + \frac{2}{5}\right) ÷ \frac{2}{5} = 1\frac{9}{10} ÷ \frac{2}{5} = \frac{19}{10} × \frac{\overset{1}{\cancel{5}}}{2} = 4\frac{3}{4}$$

★ 뒤에 있는 수

활동 문제 약속에 따라 식을 바르게 쓴 것을 찾아 ◯표 하세요.

1

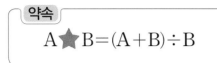

$A ♠ B = (A + B) ÷ A$라고 약속할 때 $\frac{2}{3} ♠ \frac{1}{4}$의 계산식은?

$\frac{2}{3} + \frac{1}{4} ÷ \frac{2}{3}$ $\frac{2}{3} + \frac{1}{4} ÷ \frac{1}{4}$

$\left(\frac{2}{3} + \frac{1}{4}\right) ÷ \frac{2}{3}$ $\left(\frac{2}{3} + \frac{1}{4}\right) ÷ \frac{1}{4}$

2

$A ♥ B = (A - B) ÷ B$라고 약속할 때 $1\frac{3}{4} ♥ \frac{2}{3}$의 계산식은?

$\left(1\frac{3}{4} - \frac{2}{3}\right) ÷ 1\frac{3}{4}$ $\left(1\frac{3}{4} - \frac{2}{3}\right) ÷ \frac{2}{3}$

$1\frac{3}{4} - \frac{2}{3} ÷ 1\frac{3}{4}$ $1\frac{3}{4} - \frac{2}{3} ÷ \frac{2}{3}$

2 식에 알맞은 수 구하기

$$A \times \frac{1}{2} = 3, \quad A \div B = \frac{4}{5}$$

첫 번째 식에서 A 구하기	$A \times \frac{1}{2} = 3 \;\Rightarrow\; A = 3 \div \frac{1}{2} = 6$
두 번째 식에서 B 구하기	$A \div B = \frac{4}{5} \;\Rightarrow\; 6 \div B = \frac{4}{5}, \; B = 6 \div \frac{4}{5} = 7\frac{1}{2}$

활동 문제 주어진 식을 보고 알맞은 길을 따라가 보세요.

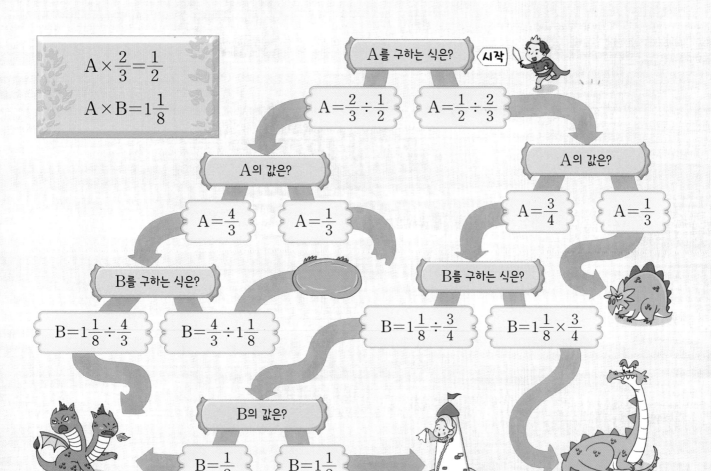

6단계 B · **9**

1-1 기호 ▲에 대하여 $A ▲ B = A ÷ (B+B)$ 라고 약속할 때 다음을 계산해 보세요.

$$\frac{3}{4} ▲ \frac{1}{3}$$

(　　　　　　　)

약속에 따라 식을 쓴 다음 순서를 생각하며 계산합니다.
괄호가 있는 계산은 괄호 안을 가장 먼저 계산합니다.

$$A ÷ (B+B)$$
　　①
　②

1-2 기호 ♣에 대한 약속을 보고 $4\frac{1}{2} ♣ 1\frac{4}{5}$ 를 계산해 보세요.

약속
$$A ♣ B = (A-B) ÷ A$$

(1) 주어진 약속에 따라 $4\frac{1}{2} ♣ 1\frac{4}{5}$ 의 계산식을 만들어 보세요.

$$4\frac{1}{2} ♣ 1\frac{4}{5} = \left(\boxed{} - \boxed{} \right) ÷ \boxed{}$$

(2) 위 (1)의 계산 결과를 구해 보세요.

(　　　　　　　)

1-3 기호 ◆에 대하여 $A ◆ B = (A+B) ÷ (A-B)$ 라고 약속할 때 다음을 계산해 보세요.

$$2\frac{2}{3} ◆ 1\frac{1}{3}$$

(　　　　　　　)

2-1 주어진 식을 보고 A와 B에 알맞은 수를 각각 구해 보세요.

$$A \times \frac{2}{3} = \frac{7}{12}, \qquad A \div B = 1\frac{2}{5}$$

A (   ), B (   )

- 구하려는 것: A와 B에 알맞은 수
- 주어진 조건: $A \times \frac{2}{3} = \frac{7}{12}$, $A \div B = 1\frac{2}{5}$
- 해결 전략: 첫 번째 식에서 A를 먼저 구한 다음 두 번째 식을 이용하여 B를 구합니다.

✎ 구하려는 것(﹏﹏)과 주어진 조건(───)에 표시해 봅니다.

2-2 주어진 식을 보고 A와 B에 알맞은 수를 각각 구해 보세요.

$$\frac{3}{8} \times A = 1\frac{1}{2}, \qquad B \times \frac{3}{4} = A$$

해결 전략
❶ 첫 번째 식을 이용하여 A 구하기
❷ 두 번째 식을 이용하여 B 구하기

A (   ), B (   )

2-3 주어진 식을 보고 B에 알맞은 수를 구해 보세요.

$$A \div B = \frac{5}{6}, \qquad A \times \frac{7}{9} = 2\frac{1}{3}$$

(   )

1 화살표의 약속에 따라 나눗셈을 하여 빈 곳에 알맞은 수를 써넣으세요.

코딩

↗	$\div \dfrac{1}{5}$	↘	$\div \dfrac{1}{3}$
↖	$\div \dfrac{1}{4}$	↙	$\div \dfrac{1}{2}$

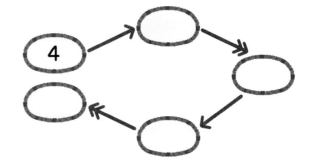

2 기호 ✿에 대하여 $A ✿ B = A \div B + B \div A$ 라고 약속할 때 다음을 계산해 보세요.

문제 해결

(1)
$$\dfrac{2}{3} ✿ \dfrac{2}{5}$$

(   )

(2)
$$1\dfrac{1}{4} ✿ 2\dfrac{1}{2}$$

(   )

3 같은 카드는 같은 수를 나타낼 때, 주어진 식을 보고 와 🧑 가 나타내는 수를 각각 구해

창의 · 융합 보세요.

$$\text{🧑} \times 1\dfrac{1}{2} = 3\dfrac{3}{4}, \qquad \text{🧑} \times \text{🧑} = 7$$

🧑 (   ), 🧑 (   )

4 코딩

다음 순서도의 빈 곳에 알맞은 수를 써넣으세요.

기호	설명
	시작과 끝
	계산 처리
	어느 것을 택할 것인지를 판단
	계산한 값을 인쇄

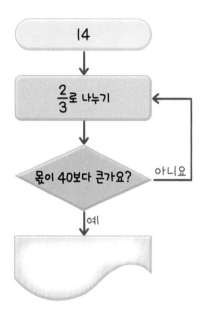

14

$\frac{2}{3}$로 나누기

몫이 40보다 큰가요?   아니요

예

---

5 문제 해결

주어진 식을 이용하여 다음을 계산해 보세요.

분모가 $\frac{b}{a}$이고 분자가 $\frac{d}{c}$인 분수를 나눗셈식으로 나타낸 거야.

$$\frac{\frac{d}{c}}{\frac{b}{a}} = \frac{d}{c} \div \frac{b}{a}$$

분자를 분모로 나누면 되니까 분자 $\frac{d}{c}$를 분모 $\frac{b}{a}$로 나누는 식이야.

(1) $\dfrac{\frac{4}{9}}{\frac{2}{3}}$

(2) $\dfrac{\frac{6}{7}}{\frac{3}{8}}$

---

1 전체 수 구하기

- 전체 수의 $\dfrac{3}{5}$ 만큼이 $3\dfrac{9}{10}$ 일 때 전체 수 구하기

(전체 수)

$3\dfrac{9}{10}$

(전체 수) $\times \dfrac{3}{5} = 3\dfrac{9}{10}$

부분의 비율 ┘　└ 부분 수

→ (전체 수) $= 3\dfrac{9}{10} \div \dfrac{3}{5} = \dfrac{39}{10} \div \dfrac{3}{5} = \dfrac{\overset{13}{\cancel{39}}}{\underset{2}{\cancel{10}}} \times \dfrac{\overset{1}{\cancel{5}}}{\underset{1}{\cancel{3}}} = \dfrac{13}{2} = 6\dfrac{1}{2}$

부분 수 ┘　└ 부분의 비율

활동 문제 집에서 할머니 댁까지의 거리를 알아보려고 합니다. ☐ 안에 알맞은 수를 써넣으세요.

1

$28\dfrac{7}{12}$ km를 달렸어.

전체 거리의 $\dfrac{1}{3}$ 만큼 달린 거야.

할머니 댁

(전체 거리) $= 28\dfrac{7}{12} \div \boxed{} = \boxed{}$ (km)

2

$22\dfrac{7}{8}$ km가 남았어.

전체 거리의 $\dfrac{3}{4}$ 만큼 남은 거야.

할머니 댁

(전체 거리) $= \boxed{} \div \boxed{} = \boxed{}$ (km)

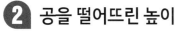

2 공을 떨어뜨린 높이

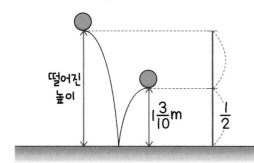

- 떨어진 높이의 $\frac{1}{2}$ 만큼 튀어 오를 때

(떨어진 높이)
= (튀어 오른 높이) ÷ (튀어 오른 비율)
$= 1\frac{3}{10} \div \frac{1}{2} = \frac{13}{10} \times \overset{1}{2} = 2\frac{3}{5}$ (m)

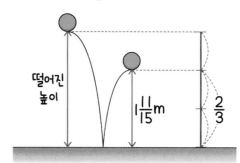

- 떨어진 높이의 $\frac{2}{3}$ 만큼 튀어 오를 때

(떨어진 높이)
= (튀어 오른 높이) ÷ (튀어 오른 비율)
$= 1\frac{11}{15} \div \frac{2}{3} = \frac{26}{15} \times \frac{3}{2} = 2\frac{3}{5}$ (m)

활동 문제 떨어진 높이의 $\frac{3}{5}$ 만큼 튀어 오르는 공이 있습니다. 이 공이 두 번째로 튀어 오른 높이가 $1\frac{7}{20}$ m일 때, 처음 공을 떨어뜨린 높이는 몇 m인지 구해 보세요.

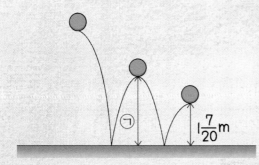

㉠ (공이 첫 번째로 튀어 오른 높이)

　= (공이 두 번째로 튀어 오른 높이) ÷ $\frac{3}{5}$

　= ☐ ÷ $\frac{3}{5}$ = ☐ (m)

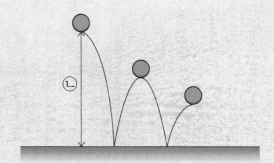

㉡ (처음 공을 떨어뜨린 높이)

　= (공이 첫 번째로 튀어 오른 높이) ÷ $\frac{3}{5}$

　= ☐ ÷ $\frac{3}{5}$ = ☐ (m)

1-1 동현이는 위인전을 전체의 $\frac{3}{8}$만큼 읽었습니다. 읽고 남은 부분이 115쪽이라면 위인전의 전체 쪽수는 몇 쪽인지 구해 보세요.

(   )

❶ 위인전을 읽고 남은 부분은 전체의 몇 분의 몇인지 알아봅니다. ➡ (읽고 남은 부분)＝1－(읽은 부분)

❷ 위인전을 읽고 남은 부분의 쪽수와 비율을 이용하여 전체 쪽수를 구합니다.

    ➡ (전체 쪽수)＝(읽고 남은 부분의 쪽수)÷(읽고 남은 부분의 비율)

1-2 수아는 용돈을 받아 그중에서 $\frac{2}{5}$를 저금했습니다. 저금하고 남은 돈이 15000원이라면 수아가 받은 용돈은 얼마인지 구해 보세요.

(1) 저금하고 남은 돈은 받은 용돈의 몇 분의 몇인지 구해 보세요.

(   )

(2) 수아가 받은 용돈은 얼마인지 구해 보세요.

(   )

1-3 양계장에서 생산한 달걀 중에서 15 %가 깨졌습니다. 깨진 달걀이 24개라면 양계장에서 생산한 달걀은 모두 몇 개인지 구해 보세요.

백분율 15 %를 분수로 나타내면 $\frac{\Box}{20}$입니다.

➡ (생산한 달걀 수)＝$24 \div \frac{\Box}{20} = 24 \times \frac{\Box}{\Box} = \boxed{}$(개)

2-1 떨어진 높이의 $\dfrac{5}{8}$만큼 튀어 오르는 공이 있습니다. 이 공이 두 번째로 튀어 오른 높이가 $1\dfrac{7}{8}$ m일 때, 처음 공을 떨어뜨린 높이는 몇 m인지 구해 보세요.

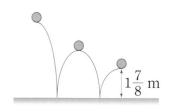

(   )

● 구하려는 것: 처음 공을 떨어뜨린 높이

● 주어진 조건: 떨어진 높이의 $\dfrac{5}{8}$만큼 튀어 오름, 두 번째로 튀어 오른 높이가 $1\dfrac{7}{8}$ m

● 해결 전략: 먼저 공이 첫 번째로 튀어 오른 높이를 구한 후 처음 공을 떨어뜨린 높이를 구합니다.

✎ 구하려는 것(〜〜〜)과 주어진 조건(──)에 표시해 봅니다.

2-2 떨어진 높이의 $\dfrac{3}{4}$만큼 튀어 오르는 공이 있습니다. 이 공이 두 번째로 튀어 오른 높이가 $2\dfrac{1}{4}$ m일 때, 처음 공을 떨어뜨린 높이는 몇 m인지 구해 보세요.

> **해결 전략**
> ❶ 공이 두 번째로 튀어 오른 높이와 비율을 이용하여 공이 첫 번째로 튀어 오른 높이 구하기
> ❷ 공이 첫 번째로 튀어 오른 높이와 비율을 이용하여 처음 공을 떨어뜨린 높이 구하기

(   )

2-3 떨어진 높이의 $\dfrac{2}{5}$만큼 튀어 오르는 공이 있습니다. 이 공이 세 번째로 튀어 오른 높이가 $\dfrac{14}{25}$ m일 때, 처음 공을 떨어뜨린 높이는 몇 m인지 구해 보세요.

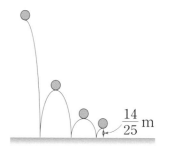

(   )

1 둥근기둥 모양이 있습니다. 다음과 같이 전체를 똑같이 나눈 후 색칠한 부분의 무게가 $\dfrac{25}{32}$ kg

창의·융합 일 때 전체의 무게는 몇 kg인지 구해 보세요.

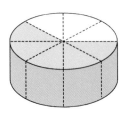

(   )

2 떨어진 높이의 $\dfrac{4}{7}$만큼 튀어 오르는 공이 있습니다. 이 공이 두 번째로 튀어 오른 높이가 $\dfrac{32}{35}$ m

문제 해결 일 때, 처음 공을 떨어뜨린 높이와 공이 첫 번째로 튀어 오른 높이의 차는 몇 m인지 구해 보세요.

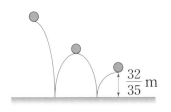 

공이 첫 번째로
튀어 오른 높이를 알아야
처음 공을 떨어뜨린
높이를 알 수 있어요.

(1) 공이 첫 번째로 튀어 오른 높이는 몇 m인지 구해 보세요.

(   )

(2) 처음 공을 떨어뜨린 높이는 몇 m인지 구해 보세요.

(   )

(3) 처음 공을 떨어뜨린 높이와 공이 첫 번째로 튀어 오른 높이의 차는 몇 m인지 구해 보세요.

(   )

3
창의·융합

지효는 할머니 댁에 갔습니다. 전체 거리의 $\frac{3}{4}$은 기차를 타고, 나머지의 $\frac{2}{5}$는 버스를 탔습니다. 남은 거리 $37\frac{1}{2}$ km는 택시를 타고 갔다면 지효네 집에서 할머니 댁까지의 거리는 몇 km인지 구해 보세요.

지효네 집 .... $37\frac{1}{2}$ km 할머니 댁

(1) 버스를 탄 거리는 전체 거리의 몇 분의 몇인지 구해 보세요.

( )

(2) 택시를 탄 거리는 전체 거리의 몇 분의 몇인지 구해 보세요.

( )

(3) 지효네 집에서 할머니 댁까지의 거리는 몇 km인지 구해 보세요.

( )

4
추론

떨어진 높이의 $\frac{5}{9}$만큼 튀어 오르는 공이 있습니다. 이 공이 두 번째로 튀어 오른 높이가 $1\frac{13}{27}$ m 일 때, 처음 공을 떨어뜨렸을 때부터 두 번째로 튀어 올랐을 때까지 공이 움직인 거리는 몇 m인지 구해 보세요. (단, 공은 바닥에 수직으로 움직입니다.)

( )

1 계산 결과가 가장 큰 (분수)÷(분수), 계산 결과가 가장 작은 (분수)÷(분수)

- 계산 결과가 가장 큰 (분수)÷(분수)
  나누어지는 수를 가장 크게, 나누는 수를 가장 작게 만듭니다.

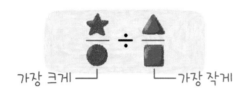

- 계산 결과가 가장 작은 (분수)÷(분수)
  나누어지는 수를 가장 작게, 나누는 수를 가장 크게 만듭니다.

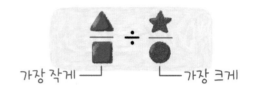

활동 문제 윤수와 채은이는 각자 가지고 있는 3장의 수 카드를 한 번씩 모두 사용하여 대분수를 만들고 있습니다. 두 사람이 만들 수 있는 대분수로 계산 결과가 가장 큰 나눗셈식과 계산 결과가 가장 작은 나눗셈식을 각각 만들어 보세요.

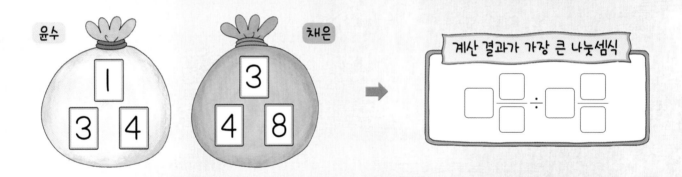

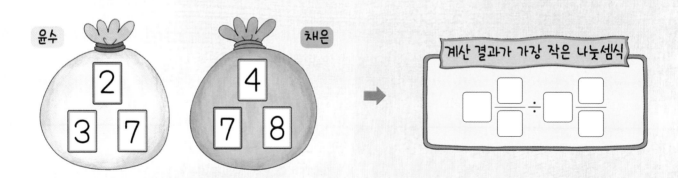

2 계산 결과가 자연수인 분수의 나눗셈

• $\dfrac{3}{4} \div \dfrac{\blacksquare}{8}$ 의 계산 결과가 자연수일 때

$$\frac{3}{4} \div \frac{\blacksquare}{8} = \frac{3}{\cancel{4}_1} \times \frac{\cancel{8}^2}{\blacksquare} = \frac{6}{\blacksquare}$$

➡ $\dfrac{6}{\blacksquare}$ 이 자연수가 되려면 $\blacksquare$ 는 6의 약수

1, 2, 3, 6이어야 합니다.

• $\dfrac{\bullet}{6} \div \dfrac{2}{3}$ 의 계산 결과가 자연수일 때

$$\frac{\bullet}{6} \div \frac{2}{3} = \frac{\bullet}{\cancel{6}_2} \times \frac{\cancel{3}^1}{2} = \frac{\bullet}{4}$$

➡ $\dfrac{\bullet}{4}$ 가 자연수가 되려면 $\bullet$ 는 4의 배수

4, 8, 12, 16……이어야 합니다.

활동 문제 상자에 쓰인 나눗셈의 계산 결과는 자연수입니다. □ 안에 알맞은 수가 써 있는 과자를 모두 찾아 ○표 하세요.

1

$$\frac{1}{2} \div \frac{\square}{10}$$

2

$$1\frac{2}{3} \div \frac{5}{\square}$$

1-1 다음 나눗셈식의 계산 결과는 자연수입니다. ●에 알맞은 수는 모두 몇 개인지 구해 보세요.

$$4 \div \dfrac{●}{6}$$

(   )

❶ 나눗셈식을 곱셈식으로 나타내어 정리합니다.

❷ 계산 결과가 자연수여야 하므로 약분하여 분모가 1이 되는 경우를 알아봅니다.

1-2 다음 나눗셈식의 계산 결과는 자연수입니다. ★에 알맞은 수 중 가장 작은 수를 구해 보세요.

$$\dfrac{★}{9} \div 1\dfrac{1}{3}$$

(1) 위의 나눗셈식을 곱셈식으로 나타내어 정리했을 때, 계산 결과를 하나의 분수로 나타내어 보세요.

(   )

(2) 계산 결과가 자연수일 때 ★에 알맞은 수 중 가장 작은 수를 구해 보세요.

(   )

1-3 다음 나눗셈식의 계산 결과는 자연수입니다. ♥에 알맞은 수 중 가장 작은 수를 구해 보세요.

$$1\dfrac{3}{5} \div \dfrac{4}{♥}$$

(   )

2-1 명준이와 수아는 각자 가지고 있는 3장의 수 카드를 한 번씩 모두 사용하여 대분수를 만들고 있습니다. 두 사람이 만들 수 있는 대분수로 계산 결과가 가장 큰 (대분수)÷(대분수)를 만들고, 계산해 보세요.

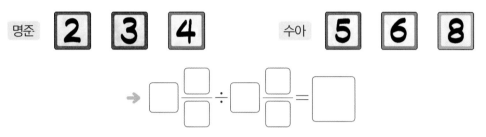

- 구하려는 것: 두 사람이 만들 수 있는 대분수로 계산 결과가 가장 큰 나눗셈식을 만들고 계산하기
- 주어진 조건: 명준이와 수아가 가지고 있는 수 카드, 각자 가지고 있는 수 카드를 한 번씩 사용하여 대분수를 만들고 있음
- 해결 전략: 계산 결과가 가장 크려면 (가장 큰 대분수)÷(가장 작은 대분수)를 만들어야 합니다.

✎ 구하려는 것(〜〜)과 주어진 조건(——)에 표시해 봅니다.

2-2 아영이와 수정이는 각자 가지고 있는 3장의 수 카드를 한 번씩 모두 사용하여 대분수를 만들고 있습니다. 두 사람이 만들 수 있는 대분수로 계산 결과가 가장 작은 (대분수)÷(대분수)를 만들고, 계산해 보세요.

해결 전략

계산 결과가 가장 작으려면 (가장 작은 대분수)÷(가장 큰 대분수)를 만들어야 합니다.

2-3 위 **2-2**에서 아영이와 수정이가 만들 수 있는 대분수로 계산 결과가 가장 큰 (대분수)÷(대분수)를 만들고, 계산해 보세요.

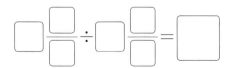

1 창의·융합

두 다람쥐가 각자 가지고 있는 4장의 수 카드 중 3장을 골라 대분수를 만들고 있습니다. 두 다람쥐가 만들 수 있는 대분수로 계산 결과가 가장 작은 (대분수)÷(대분수)를 만들고, 계산해 보세요.

$$→ \square \dfrac{\square}{\square} ÷ \square \dfrac{\square}{\square} = \square$$

2 문제 해결

다음 나눗셈식의 계산 결과는 모두 자연수입니다. ■와 ●에 알맞은 수 중에서 가장 작은 수를 구해 보세요.

(1)

$$\dfrac{1}{2} ÷ \dfrac{1}{■} \qquad\qquad \dfrac{1}{4} ÷ \dfrac{1}{■}$$

■ (   )

(2)

$$\dfrac{1}{3} ÷ \dfrac{1}{●} \qquad\qquad \dfrac{1}{7} ÷ \dfrac{1}{●}$$

● (   )

▶정답 및 해설 6쪽

3 문제 해결

민준이와 세인이는 각자 가지고 있는 3장의 수 카드를 한 번씩 모두 사용하여 (자연수)÷(진분수)를 만들고 있습니다. 누가 계산 결과가 더 큰 나눗셈식을 만들 수 있는지 구해 보세요.

2   5   8   민준

3   4   9   세인

(   )

4 추론

$\dfrac{3}{4}$으로 나누어도 자연수가 되고 $\dfrac{5}{8}$로 나누어도 자연수가 되는 분수 중에서 가장 작은 분수를 구해 보세요.

구하려는 분수를 $\dfrac{\blacktriangle}{\blacksquare}$라 하고 계산 결과가 자연수가 되려면

$\dfrac{\blacktriangle}{\blacksquare} \div \dfrac{3}{4} = \dfrac{\blacktriangle}{\blacksquare} \times \dfrac{\square}{\square}$ 에서 $\blacktriangle$는 $\square$의 배수, $\blacksquare$는 $\square$의 약수이고

$\dfrac{\blacktriangle}{\blacksquare} \div \dfrac{5}{8} = \dfrac{\blacktriangle}{\blacksquare} \times \dfrac{\square}{\square}$ 에서 $\blacktriangle$는 $\square$의 배수, $\blacksquare$는 $\square$의 약수입니다.

$\dfrac{\blacktriangle}{\blacksquare}$가 가장 작은 수가 되려면 $\blacktriangle$는 $\square$와(과) $\square$의 (최대공약수 , 최소공배수)이고

$\blacksquare$는 $\square$와(과) $\square$의 (최대공약수 , 최소공배수)이므로 $\dfrac{\blacktriangle}{\blacksquare} = \dfrac{\square}{\square}$입니다.

1 몫을 어림하여 자연수까지 구하기

• 부어야 하는 횟수 구하기

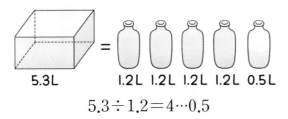

5.3L = 1.2L 1.2L 1.2L 1.2L 0.5L

$$5.3 \div 1.2 = 4 \cdots 0.5$$

→ 나머지 0.5 L를 채우기 위해 1번 더 부어야 하므로 적어도 4+1=5(번) 부어야 합니다.

• 팔 수 있는 상자 수 구하기

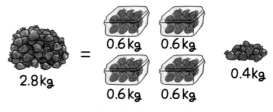

2.8kg = 0.6kg 0.6kg 0.6kg 0.6kg 0.4kg

$$2.8 \div 0.6 = 4 \cdots 0.4$$

→ 나머지 0.4 kg은 한 상자가 안 되므로 4상자까지만 팔 수 있습니다.

활동 문제 들이가 다음과 같은 수조에 물을 가득 채우려고 합니다. 주어진 들이의 컵으로 적어도 몇 번 부어야 하는지 필요한 횟수만큼 색칠해 보세요.

1 2.6 L 들이의 수조에 0.3 L 들이의 컵으로 붓기

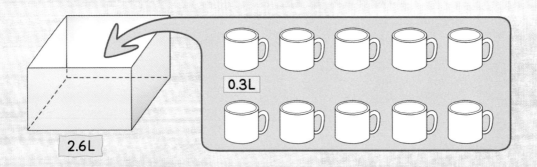

2 3.2 L 들이의 수조에 0.25 L 들이의 컵으로 붓기

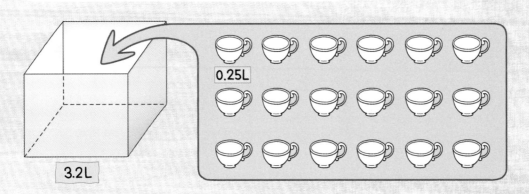

2 소수점 아래 숫자의 규칙

$$12 \div 3.7 = 3.\underline{243} / \underline{243} / \underline{243} \cdots$$

몫의 소수점 아래에 3개의 숫자
2, 4, 3이 반복되는 규칙입니다.

> 몫의 소수점 아래
> 반복되는 숫자의 규칙을
> 찾아야 해요.

Q. 몫의 소수 50째 자리 숫자는?

$$50 \div 3 = 16 \cdots 2$$

└─ 반복되는 숫자의 개수

➡ 3개의 숫자가 16번 반복된 후
2번째 숫자이므로 4입니다.

Q. 몫의 소수 100째 자리 숫자는?

$$100 \div 3 = 33 \cdots 1$$

└─ 반복되는 숫자의 개수

➡ 3개의 숫자가 33번 반복된 후
1번째 숫자이므로 2입니다.

활동 문제 8.8÷5.4의 몫을 구하여 친구들이 말하는 숫자가 쓰인 물고기를 찾아 이어 보세요.

> 몫의 소수
> 25째 자리 숫자

> 몫의 소수
> 50째 자리 숫자

1-1 수확한 고구마 117 kg을 한 상자에 5.4 kg씩 담아서 팔려고 합니다. 상자에 담아서 팔 수 있는 고구마는 몇 상자인지 구해 보세요.

( )

(수확한 고구마의 무게)÷(한 상자에 담는 고구마의 무게)를 계산하여 몫을 자연수 부분까지만 구하고 나머지는 버림합니다.

1-2 900 kg까지 탈 수 있는 엘리베이터가 있습니다. 이 엘리베이터에 몸무게가 65.5 kg인 사람이 몇 명까지 탈 수 있는지 구해 보세요.

$900 \div 65.5 = \boxed{} \cdots \boxed{}$

└─ 몫을 자연수 부분까지 나타냅니다.

➡ 몸무게가 65.5 kg인 사람이 $\boxed{}$ 명까지 탈 수 있습니다.

1-3 설탕 13.4 kg을 한 봉지에 2 kg씩 담아서 팔려고 합니다. 설탕을 남김없이 모두 팔려면 설탕은 적어도 몇 kg이 더 필요한지 구해 보세요.

(1) 설탕 13.4 kg을 한 봉지에 2 kg씩 담으면 몇 봉지가 되고, 남는 설탕은 몇 kg인지 차례로 구해 보세요.

( ), ( )

(2) 설탕을 봉지에 담아 남김없이 모두 팔려면 설탕은 적어도 몇 kg이 더 필요한지 구해 보세요.

( )

2-1 다음 나눗셈의 몫의 소수 30째 자리 숫자와 몫의 소수 50째 자리 숫자의 차를 구해 보세요.

$$38 \div 27$$

(   )

- 구하려는 것: $38 \div 27$의 몫의 소수 30째 자리 숫자와 몫의 소수 50째 자리 숫자의 차
- 주어진 조건: $38 \div 27$
- 해결 전략: ❶ 몫의 소수 30째 자리 숫자 구하기   ❷ 몫의 소수 50째 자리 숫자 구하기
           ❸ ❶과 ❷에서 구한 두 수의 차 구하기

✎ 구하려는 것(〰〰)과 주어진 조건(──)에 표시해 봅니다.

2-2 다음 나눗셈의 몫의 소수 55째 자리 숫자와 몫의 소수 100째 자리 숫자의 차를 구해 보세요.

$$5.6 \div 1.1$$

(   )

해결 전략
❶ 몫의 소수 55째 자리 숫자 구하기
❷ 몫의 소수 100째 자리 숫자 구하기
❸ ❶과 ❷에서 구한 두 수의 차 구하기

2-3 분수 $\dfrac{9}{22}$를 소수로 나타낼 때 소수 70째 자리 숫자를 구해 보세요.

$$\frac{9}{22}$$

$\dfrac{\blacktriangle}{\blacksquare} = \blacktriangle \div \blacksquare$로 계산할 수 있어요.

(   )

1 사다리를 타고 내려가면서 나눗셈을 합니다. 몫을 자연수 부분까지 구했을 때의 몫과 나머지 중에서 알맞은 것을 써넣으세요.

창의 · 융합

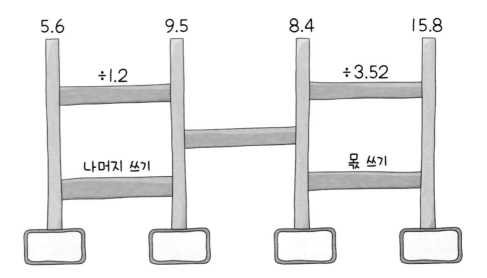

2 다음과 같이 계산기 버튼을 차례로 눌렀습니다. 몫의 소수 100째 자리 숫자를 구해 보세요.

코딩

(1) 8 . 6 ÷ 2 . 7 =

( )

(2) 6 . 4 4 ÷ 2 . 5 3 =

( )

3 코딩

⬭ 안의 수를 주어진 방법으로 계산한 결과를 ⬭ 안에 써넣으세요.

(1)

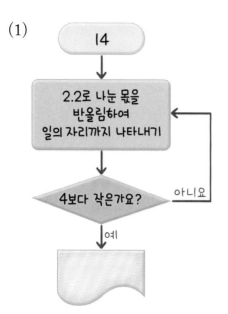

(2)

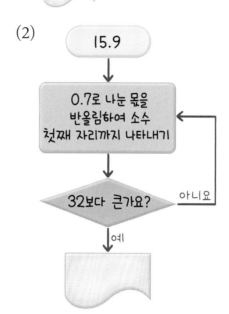

4 문제 해결

상자 1개를 묶는 데 리본 2 m가 필요합니다. 정현이는 리본 15.2 m로 상자를 묶으려고 합니다. 리본을 남김없이 사용하여 상자를 묶으려면 리본은 적어도 몇 m 더 필요할까요? 또, 리본을 더 사용하여 남김없이 상자를 묶었을 때, 묶은 상자는 적어도 몇 개인지 구해 보세요.

더 필요한 리본의 길이 (   )

묶은 상자의 수 (   )

5일 개념·원리 길잡이 거리, 속력, 시간

1 거리, 속력, 시간 사이의 관계

(간 거리)=(속력)×(걸린 시간)

(속력)=(간 거리)÷(걸린 시간)

(걸린 시간)=(간 거리)÷(속력)

거속시 문제는 중학교에서도 자주 나온답니다.

활동 문제 다음은 흐르지 않는 물에서 A, B, C 보트가 1시간 동안 가는 거리(속력)와 움직인 거리입니다. 각 보트가 움직이는 데 걸린 시간은 몇 시간인지 구해 보세요. (단, 각 보트의 속력은 일정합니다.)

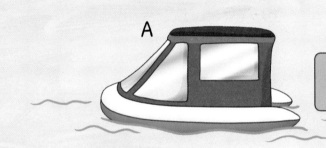

1시간 동안 가는 거리: 12.2 km
움직인 거리: 18.3 km

1시간 동안 가는 거리: 10.3 km
움직인 거리: 8.24 km

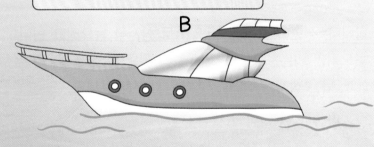

보트	걸린 시간
A	□ 시간
B	□ 시간
C	□ 시간

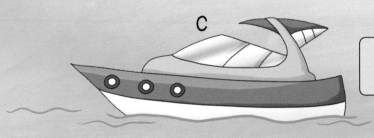

1시간 동안 가는 거리: 8.4 km
움직인 거리: 27.3 km

② 강물에서 배의 속력

• 강물을 따라 내려갈 때

(강물을 따라 내려가는 배의 속력)
＝(원래 배의 속력)＋(강물의 속력)

• 강물을 거슬러 올라갈 때

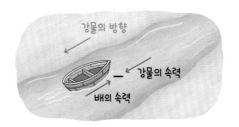

(강물을 거슬러 올라가는 배의 속력)
＝(원래 배의 속력)－(강물의 속력)

활동 문제 흐르지 않는 물에서 1.5시간에 12.6 km를 가는 배가 있습니다. 강물이 1시간에 4 km씩 흐르는 강에서 이 배가 1시간 동안 갈 수 있는 거리는 몇 km인지 구해 보세요. (단, 배와 강물의 속력은 각각 일정하고 바람의 힘은 생각하지 않습니다.)

(흐르지 않는 물에서 배가 1시간 동안 가는 거리)＝ ☐ ÷ ☐ ＝ ☐ (km)

(강물을 따라 내려가는 배가 1시간 동안 가는 거리)
＝ ☐ ＋4＝ ☐ (km)

강물의 방향

(강물을 거슬러 올라가는 배가 1시간 동안 가는 거리)
＝ ☐ －4＝ ☐ (km)

1-1 426 km를 가는 데 5시간 걸리는 자동차가 있습니다. 이 자동차로 127.8 km를 가는 데 몇 시간이 걸리는지 구해 보세요. (단, 자동차의 속력은 일정합니다.)

426 km를 가는 데 5시간 걸려요.

( )

❶ 자동차가 1시간 동안 가는 거리(속력)를 구합니다. ➡ (1시간 동안 가는 거리)=(간 거리)÷(걸린 시간)
❷ 127.8 km를 가는 데 걸리는 시간을 구합니다. ➡ (걸리는 시간)=(가는 거리)÷(1시간 동안 가는 거리)

1-2 323.4 km를 가는 데 3.5시간 걸리는 자동차가 있습니다. 이 자동차로 785.4 km를 가는 데 몇 시간이 걸리는지 구해 보세요. (단, 자동차의 속력은 일정합니다.)

(1) 자동차가 1시간 동안 가는 거리는 몇 km인지 구해 보세요.

( )

(2) 이 자동차로 785.4 km를 가는 데 몇 시간이 걸리는지 구해 보세요.

( )

1-3 594 km를 가는 데 8시간 15분 걸리는 자동차가 있습니다. 이 자동차로 158.4 km를 가는 데 몇 시간이 걸리는지 구해 보세요. (단, 자동차의 속력은 일정합니다.)

8시간 15분을 소수로 나타내면 ☐ 시간이므로

자동차가 1시간 동안 가는 거리는 594÷ ☐ = ☐ (km)입니다.

➡ (158.4 km를 가는 데 걸리는 시간)=158.4÷ ☐ = ☐ (시간)

2-1 흐르지 않는 물에서 1시간에 12.8 km를 가는 배가 있습니다. 강물이 2.4시간에 10.8 km씩 흐르는 강에서 이 배가 강물이 흐르는 방향으로 103.8 km를 가는 데 몇 시간이 걸리는지 구해 보세요. (단, 배와 강물의 속력은 각각 일정합니다.)

(   )

- 구하려는 것: 배가 강물이 흐르는 방향으로 103.8 km를 가는 데 걸리는 시간
- 주어진 조건: 흐르지 않는 물에서 배가 1시간 동안 가는 거리, 강물이 2.4시간 동안 흐르는 거리
- 해결 전략: (강물을 따라 움직이는 배가 1시간 동안 가는 거리)
  =(흐르지 않는 물에서 배가 1시간 동안 가는 거리)+(강물이 1시간 동안 흐르는 거리)
  → (강물이 흐르는 방향으로 움직일 때 걸리는 시간)
    =(가는 거리)÷(강물을 따라 움직이는 배가 1시간 동안 가는 거리)

✎ 구하려는 것(〜〜)과 주어진 조건(───)에 표시해 봅니다.

2-2 흐르지 않는 물에서 1.3시간에 7.8 km를 가는 배가 있습니다. 강물이 3시간에 3.6 km씩 흐르는 강에서 이 배가 강물이 흐르는 방향으로 32.4 km를 가는 데 몇 시간이 걸리는지 구해 보세요.
(단, 배와 강물의 속력은 각각 일정합니다.)

해결 전략
❶ 원래 배의 속력과 강물의 속력 구하기
❷ 강물이 흐르는 방향으로 32.4 km를 가는 데 걸리는 시간 구하기

(   )

2-3 흐르지 않는 물에서 1시간에 8.3 km를 가는 배가 있습니다. 강물이 3.8시간에 9.5 km씩 흐르는 강에서 이 배가 강물을 거슬러 18.85 km를 가는 데 몇 시간이 걸리는지 구해 보세요. (단, 배와 강물의 속력은 각각 일정합니다.)

(   )

1

창의 · 융합

소리는 공기 중에서 일정한 빠르기로 1초에 0.34 km를 갑니다. 은성이가 번개가 친 곳에서 15.4 km 떨어진 곳에서 번개를 보았다면 약 몇 초 후에 천둥소리를 들을 수 있는지 반올림하여 소수 첫째 자리까지 나타내어 보세요.

약 (   )

2

문제 해결

흐르지 않는 물에서 1시간에 22.4 km를 가는 배가 있습니다. 강물이 1시간 30분에 14.4 km 씩 흐르는 강에 이 배를 띄웠습니다. 물음에 답하세요. (단, 배와 강물의 속력은 각각 일정합니다.)

(1) 강물은 1시간에 몇 km씩 흐르는지 구해 보세요.

(   )

(2) 이 배가 강물이 흐르는 방향으로 73.6 km를 가는 데 몇 시간이 걸리는지 구해 보세요.

(   )

(3) 이 배가 강물을 거슬러 20.48 km를 가는 데 몇 시간이 걸리는지 구해 보세요.

(   )

▶정답 및 해설 8쪽

3 창의·융합

흐르지 않는 물에서 1시간에 4.6 km를 가는 연어가 있습니다. 강물이 1시간에 3.4 km씩 흐르는 강을 이 연어가 6 km 거슬러 올라가려면 몇 시간이 걸리는지 구해 보세요. (단, 연어와 강물의 속력은 각각 일정합니다.)

(   )

4 문제 해결

6.3 km를 가는 데 성훈이는 1시간 30분이 걸리고, 현주는 2시간 15분이 걸립니다. 두 사람이 각각 같은 빠르기로 같은 지점에서 동시에 출발하여 반대 방향으로 3시간 동안 간다면 두 사람 사이의 거리는 몇 km가 되는지 구해 보세요. (단, 두 사람의 속력은 각각 일정합니다.)

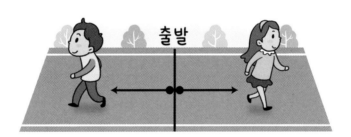

(1) 성훈이와 현주가 1시간 동안 가는 거리를 각각 구해 보세요.

성훈이가 1시간 동안 가는 거리 (   )

현주가 1시간 동안 가는 거리 (   )

(2) 1시간 후 두 사람 사이의 거리는 몇 km인지 구해 보세요.

(   )

(3) 3시간 후 두 사람 사이의 거리는 몇 km인지 구해 보세요.

(   )

1 낚시대에 걸려 있는 식을 보고 계산 결과가 써 있는 물고기를 찾아 이어 보세요. 창의·융합

2 손오공이 함정에 빠졌어요. 번호 순서대로 계산 결과가 있는 곳을 지나야 함정을 빠져나갈 수 있습니다. 손오공이 함정을 빠져나갈 수 있는 길을 표시해 보세요. 창의·융합

1 $0.92 \div 0.23$ 　　　　2 $3.64 \div 1.4$

3 $17 \div 3.4$ 　　　　4 $7.8 \div 5.2$

5 $5.5 \div 3$의 몫을 반올림하여 일의 자리까지 나타내기

6 $2.83 \div 1.2$의 몫을 반올림하여 소수 둘째 자리까지 나타내기

3 반 학생 모두가 지구 지킴이 운동으로 물을 아껴 쓰기, 전기를 아껴 쓰기, 재활용하기 중 한 가지를 실천하기로 했습니다. 민준이와 세인이의 대화를 읽고, 물을 아껴 쓰기로 한 학생 수는 전기를 아껴 쓰기로 한 학생 수의 몇 배인지 구해 보세요. 추론

물을 아껴 쓰기로 한 학생 수는 반 전체 학생 수의 $\frac{2}{5}$야.

민준

전기를 아껴 쓰기로 한 학생 수는 반 전체 학생 수의 $\frac{1}{4}$이야.

세인

(   )

4 자동차의 연비는 1 L의 연료로 갈 수 있는 거리를 말합니다. A 승용차가 10 km를 가는 데 $\frac{2}{5}$ L의 휘발유를 사용했고, B 승용차는 11 km를 가는 데 $\frac{3}{7}$ L의 휘발유를 사용했습니다. A 승용차와 B 승용차 중 어느 것의 연비가 더 좋은지 구해 보세요. 문제 해결

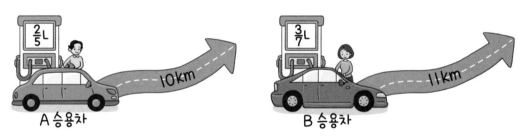

❶ A 승용차와 B 승용차가 휘발유 1 L로 갈 수 있는 거리는 몇 km인지 각각 구해 보세요.

     A 승용차 (   ), B 승용차 (   )

❷ A 승용차와 B 승용차 중 어느 것의 연비가 더 좋은지 구해 보세요.

(   )

5 나눗셈의 몫을 따라가 보세요. 창의·융합

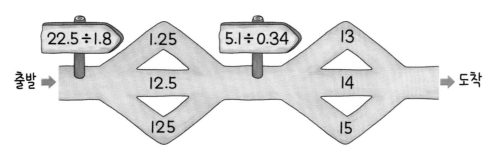

1주
특강

6 저울이 수평이 되기 위해 사용해야 하는 추의 개수를 🌥 안에 써넣으세요. 추론

1

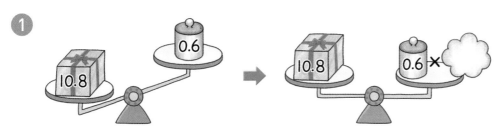

2

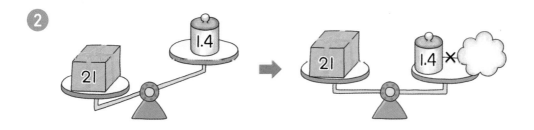

7 같은 색이 칠해진 양 끝의 두 수를 곱하면 한가운데 수가 됩니다. 각 칸에 알맞은 수를 써넣으세요.

추론

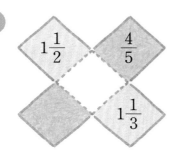

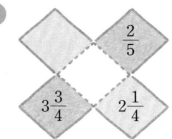

8 다음은 음표에 따른 박자를 나타낸 것입니다. 물음에 답하세요. 창의·융합

음표	♬	♪	♪.	♩	♩.	♩
박자	0.25박자	0.5박자	0.75박자	1박자	1.5박자	2박자

① ♪. 의 박자는 ♬ 의 박자의 몇 배인지 구해 보세요.

(   )

② ♩ 의 박자는 ♪ 의 박자의 몇 배인지 구해 보세요.

(   )

9 나눗셈의 몫을 자연수 부분까지 구했을 때의 나머지가 큰 것부터 나눗셈에 해당하는 글자를 순서대로 놓아 사자성어를 완성해 보세요. (창의·융합)

$$104 \div 6.8 \quad 108 \div 4.3 \quad 18.2 \div 6.5 \quad 10.8 \div 4.6$$

설 　　　　 공 　　　　 형 　　　　 지 　　→

10 인공지능 학습 로봇 **하루고**는 입력한 분수의 나눗셈을 다음과 같은 코드로 계산했다고 합니다. **하루고**가 계산한 분수의 나눗셈을 보기 에서 찾아 ㉠에 쓰고 출력된 값을 ㉡에 써 보세요. (코딩)

보기

$$4 \div \frac{2}{9} \qquad \frac{4}{9} \div \frac{2}{9} \qquad 4 \div \frac{9}{2} \qquad \frac{4}{2} \div \frac{2}{9}$$

▶ 분수의 나눗셈 　　　　 을/를 입력했을 때

■는 4로 정하기

■를 2로 나눈 몫으로 ■를 바꾸기

■에 9배 한 수로 ■를 바꾸기

■를 답 에 출력하기

저는 하루고입니다.
분수의 나눗셈을
계산해 드려요.

분수의 나눗셈	답
㉠	㉡

1주 특강

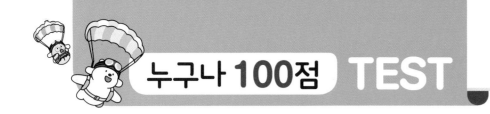
1 기호 에 대하여 AB=A÷B−B÷A 라고 약속할 때 다음을 계산해 보세요.

$$\frac{5}{6} \text{⊛} \frac{1}{3}$$

(   )

2 다음 식을 보고 가 나타내는 수를 구해 보세요.

$$\frac{4}{5} \times \text{🧸} = 2\frac{2}{7}$$

(   )

3 재원이가 선물을 포장하는 데 가지고 있는 색 테이프의 $\frac{1}{3}$을 사용하였습니다. 남은 색 테이프의 길이가 6 m라면 처음에 가지고 있던 색 테이프는 몇 m인지 구해 보세요.

(   )

4 다음 나눗셈식의 계산 결과는 자연수입니다. ■에 알맞은 수는 모두 몇 개인지 구해 보세요.

$$6 \div \frac{\blacksquare}{8}$$

(   )

5 정현이와 민석이는 각자 가지고 있는 3장의 수 카드를 한 번씩 모두 사용하여 대분수를 만들고 있습니다. 두 사람이 만들 수 있는 대분수로 계산 결과가 가장 큰 (대분수)÷(대분수)를 만들고, 계산해 보세요.

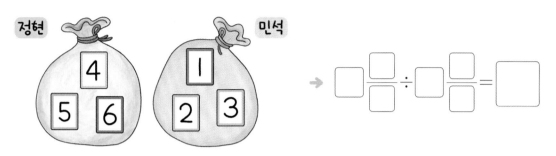

6 수확한 포도 92.5 kg을 한 상자에 7 kg씩 담아서 팔려고 합니다. 상자에 담아서 팔 수 있는 포도는 몇 상자인지 구해 보세요.

(   )

7 다음 나눗셈의 몫의 소수 40째 자리 숫자를 구해 보세요.

$$50 \div 11$$

(   )

8 1시간 동안 73.4 km를 가는 자동차가 있습니다. 이 자동차로 183.5 km를 가는 데 몇 시간이 걸리는지 구해 보세요.

(   )

만화로 미리 보기

• 쌓은 모양을 위, 앞, 옆에서 본 모양

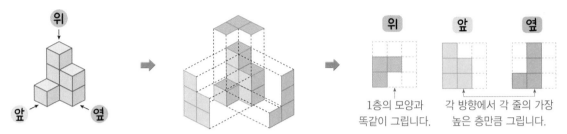

1층의 모양과 똑같이 그립니다.

각 방향에서 각 줄의 가장 높은 층만큼 그립니다.

확인 문제

1-1 쌓기나무 9개로 쌓은 모양을 본 모양입니다. 어느 방향에서 본 것인지 ( ) 안에 위, 앞, 옆을 알맞게 써 보세요.

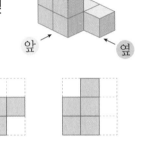

(   ) (   ) (   )

한번 더

1-2 쌓기나무 11개로 쌓은 모양을 본 모양입니다. 어느 방향에서 본 것인지 ( ) 안에 위, 앞, 옆을 알맞게 써 보세요.

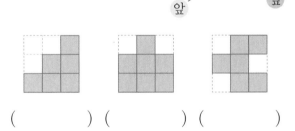

(   ) (   ) (   )

2-1 주어진 모양과 똑같이 쌓는 데 필요한 쌓기나무의 개수를 구해 보세요.

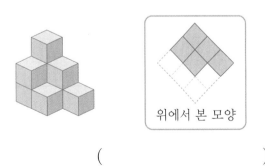

위에서 본 모양

(   )

2-2 주어진 모양과 똑같이 쌓는 데 필요한 쌓기나무의 개수를 구해 보세요.

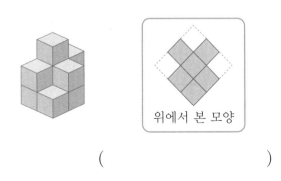

위에서 본 모양

(   )

• 각 층에 쌓인 쌓기나무 알아보기

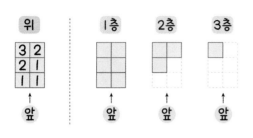

비의 전항과 후항에 0이 아닌 같은 수를 곱하거나 나누어도 비율은 같습니다.

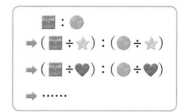

확인 문제

3-1 왼쪽 그림은 쌓기나무로 쌓은 모양을 보고 위에서 본 모양에 수를 쓴 것입니다. 앞에서 본 모양을 그려 보세요.

위

```
    3 2
  3 1 2
  2
    ↑
    앞
```

앞

한번 더

3-2 왼쪽 그림은 쌓기나무로 쌓은 모양을 보고 위에서 본 모양에 수를 쓴 것입니다. 옆에서 본 모양을 그려 보세요.

위

```
3
3 2   ← 옆
1 1 1
```

옆

4-1 쌓기나무로 쌓은 모양을 보고 위에서 본 모양에 수를 쓴 것입니다. 2층에 쌓인 쌓기나무는 몇 개인지 구해 보세요.

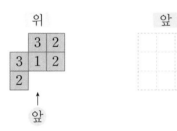

(   )

4-2 쌓기나무로 쌓은 모양을 보고 위에서 본 모양에 수를 쓴 것입니다. 3층에 쌓인 쌓기나무는 몇 개인지 구해 보세요.

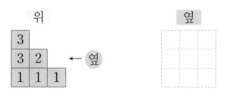

(   )

5-1 간단한 자연수의 비로 나타내어 보세요.

(1) 12 : 20 ➡ (   )

(2) 48 : 42 ➡ (   )

5-2 간단한 자연수의 비로 나타내어 보세요.

(1) $\frac{3}{4} : \frac{1}{2}$ ➡ (   )

(2) $1\frac{2}{3} : 2\frac{2}{5}$ ➡ (   )

1 바라본 방향 찾기

㉠, ㉡, ㉢, ㉣ 방향에서 본 모양을 어떻게 찾을까?

 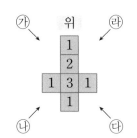 

가장 앞에 몇 층으로 쌓여 있는지 알아보고, 그것을 중심으로 왼쪽과 오른쪽에 각각 몇 층으로 쌓여 있는지 살펴봐.

㉠에서 본 모양
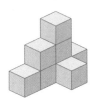

㉡에서 본 모양

㉢에서 본 모양

㉣에서 본 모양

활동 문제 오른쪽은 쌓기나무로 쌓은 모양을 보고 위에서 본 모양에 수를 쓴 것입니다. 각 방향에서 본 모양을 찾아 이어 보세요.

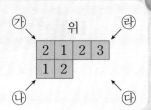

㉠ 방향에서 본 모양 ·

㉡ 방향에서 본 모양 ·

㉢ 방향에서 본 모양 ·

㉣ 방향에서 본 모양 ·

·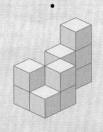

·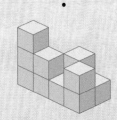

·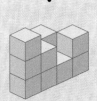

·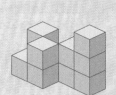

2 상자에 모양 넣기

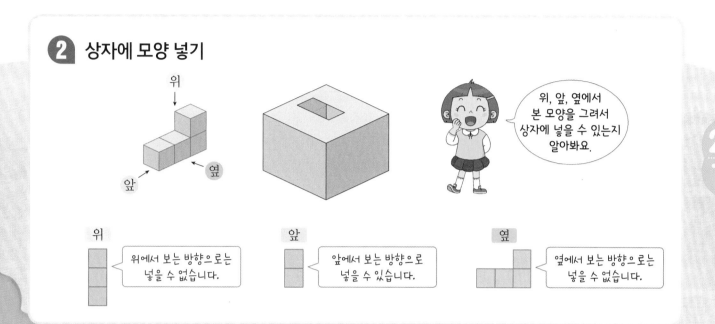

위에서 보는 방향으로는 넣을 수 없습니다.

앞에서 보는 방향으로 넣을 수 있습니다.

옆에서 보는 방향으로는 넣을 수 없습니다.

위, 앞, 옆에서 본 모양을 그려서 상자에 넣을 수 있는지 알아봐요.

활동 **문제** 구멍이 있는 상자 ㉮, ㉯, ㉰에 쌓기나무를 붙여서 만든 모양을 넣으려고 합니다. 각 모양을 넣을 수 있는 상자를 모두 찾아 기호를 써 보세요. (단, 각 모양의 뒤쪽에는 보이지 않는 쌓기나무가 없습니다.)

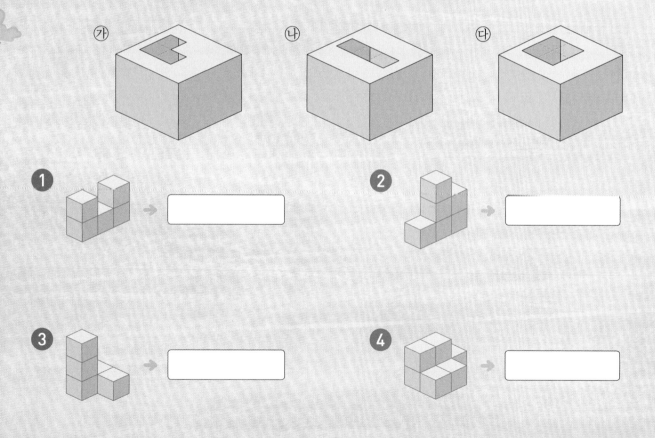

1-1 쌓기나무로 쌓은 모양을 보고 위에서 본 모양에 수를 썼습니다. 다음과 같은 규칙으로 쌓기나무가 쌓여 있다면 다섯 번째 모양을 앞에서 본 모양을 그려 보세요.

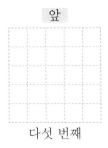

앞

다섯 번째

❶ 위에서 본 모양에 쓴 수를 보고 규칙을 찾아 다섯 번째에 올 그림을 알아봅니다.

❷ 다섯 번째에 올 그림을 보고 쌓은 모양을 앞에서 본 모양을 그립니다.

1-2 다음과 같은 규칙으로 쌓기나무가 쌓여 있습니다. 다섯 번째 모양을 위와 옆에서 본 모양을 각각 그려 보세요. (단, 각 층에 놓인 쌓기나무 모양은 정사각형 모양입니다.)

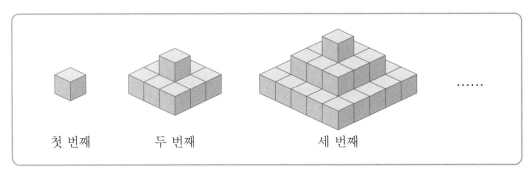

위

옆

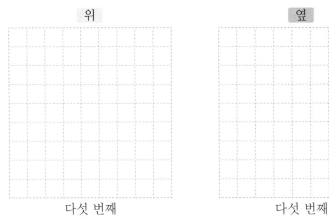

다섯 번째

다섯 번째

2-1 쌓기나무로 1층 위에 서로 다른 모양으로 2층과 3층을 쌓으려고 합니다. 1층 모양을 보고 2층과 3층으로 쌓을 수 있는 알맞은 모양을 찾아 기호를 써 보세요.

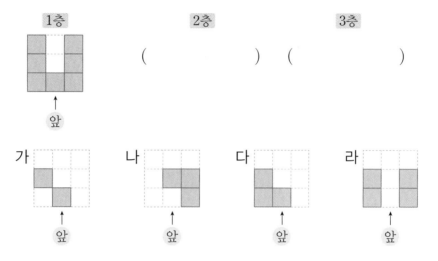

- 구하려는 것: 2층과 3층으로 쌓을 수 있는 알맞은 모양
- 주어진 조건: 1층 모양, 2층과 3층에 쌓으려는 모양
- 해결 전략: ❶ 2층으로 가능한 모양 알아보기

  ❷ ❶의 모양을 2층에 놓았을 때 3층에 놓을 수 있는 모양 알아보기

✎ 구하려는 것(～～)과 주어진 조건(——)에 표시해 봅니다.

2-2 쌓기나무로 1층 위에 서로 다른 모양으로 2층과 3층을 쌓으려고 합니다. 1층 모양을 보고 2층과 3층으로 쌓을 수 있는 알맞은 모양을 찾아 기호를 써 보세요.

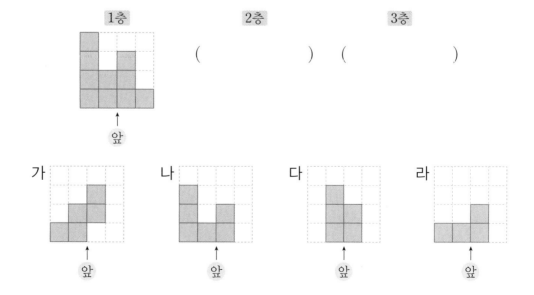

1

창의 · 융합

쌓기나무를 오른쪽과 같은 모양으로 쌓았습니다. 돌렸을 때 오른쪽 그림과 같은 모양을 만들 수 <u>없는</u> 경우를 찾아 기호를 써 보세요.

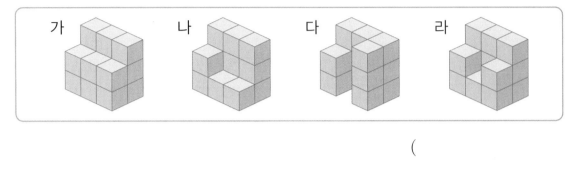

( )

2

창의 · 융합

쌓기나무 64개를 사용하여 정육면체 모양을 만들었습니다. 빨간색으로 색칠된 쌓기나무부터 반대쪽 면까지 수직으로 구멍을 뚫어 쌓기나무를 빼냈습니다. 빼낸 쌓기나무는 몇 개인지 구해 보세요.

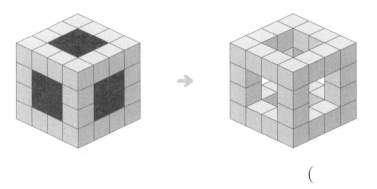

( )

3 추론

쌀기나무로 쌓은 모양을 보고 위에서 본 모양에 수를 썼습니다. 쌓은 쌀기나무 모양을 ㉮ 방향에서 본 모양을 그려 보세요.

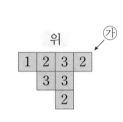

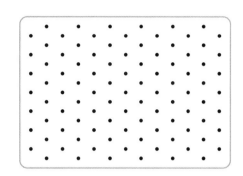

4 문제 해결

한 모서리의 길이가 1 cm인 쌀기나무 86개를 사용하여 오른쪽과 같이 탑 모양을 만든 후 바닥에 닿은 면을 포함한 모든 바깥쪽 면에 페인트를 칠했습니다. 페인트를 칠한 면의 넓이는 몇 cm²인지 구해 보세요.

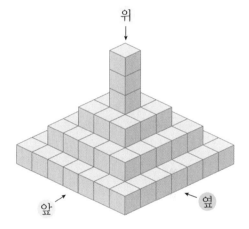

(1) 쌀기나무의 한 면의 넓이는 몇 cm²인지 구해 보세요.

( )

(2) 쌓은 모양을 위, 앞, 옆에서 보았을 때 보이는 면은 몇 개인지 각각 구해 보세요.

위에서 보았을 때 보이는 면 ( )
앞에서 보았을 때 보이는 면 ( )
옆에서 보았을 때 보이는 면 ( )

(3) 페인트를 칠한 면의 넓이는 몇 cm²인지 구해 보세요.

( )

2주
1일

1 가장 작은 직육면체 만들기

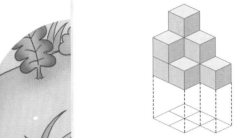

→

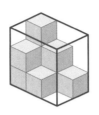

쌓기나무를 가로에 3개씩,
세로에 2개씩, 높이에 3개씩
쌓아 직육면체를 만듭니다.

→

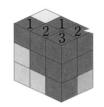

각 자리에 더 쌓아올린
쌓기나무의 개수

색칠한 쌓기나무 9개
가 더 필요합니다.

활동 문제   주어진 모양에 쌓기나무를 더 쌓아 가장 작은 직육면체 모양을 만들려고 합니다.
만들어야 할 직육면체 모양을 찾아 이어 보세요.

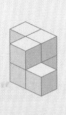 
위에서 본 모양

·   ·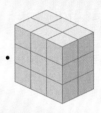

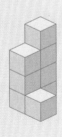 
위에서 본 모양

·   ·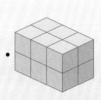

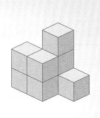 
위에서 본 모양

·   ·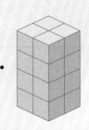

2 가장 작은 정육면체 만들기

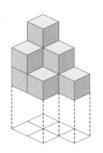 ➡ 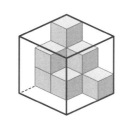 ➡

각 자리에 더 쌓아올린
쌓기나무의 개수

쌓기나무를 가로에 3개씩,
세로에 3개씩, 높이에 3개씩
쌓아 정육면체를 만듭니다.

색칠한 쌓기나무
18개가 더 필요합
니다.

활동 문제 주어진 모양에 쌓기나무를 더 쌓아 가장 작은 정육면체 모양을 만들려고 합니다.
만들어야 할 정육면체 모양이 나머지와 <u>다른</u> 하나를 찾아 ×표 하세요.

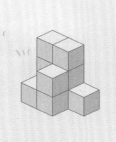 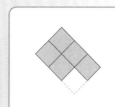

위에서 본 모양

(   )

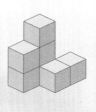

위에서 본 모양

(   )

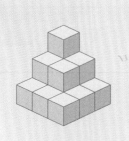 

위에서 본 모양

(   )

위에서 본 모양

(   )

1-1 다음 모양에 쌓기나무를 더 쌓아 가장 작은 직육면체 모양을 만들려고 합니다. 쌓기나무는 몇 개 더 필요한지 구해 보세요.

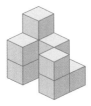

위에서 본 모양

(   )

❶ 주어진 모양을 쌓는 데 사용한 쌓기나무의 개수를 구합니다.
　➡ 위에서 본 모양의 각 자리에 쌓은 쌓기나무의 개수를 알아봅니다.
❷ 가장 작은 직육면체 모양을 만들 때 쌓기나무가 몇 개 있어야 되는지 알아봅니다.
❸ ❷−❶을 계산하여 더 필요한 쌓기나무의 개수를 구합니다.

1-2 다음 모양에 쌓기나무를 더 쌓아 가장 작은 직육면체 모양을 만들려고 합니다. 쌓기나무는 몇 개 더 필요한지 구해 보세요.

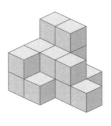

위에서 본 모양

(1) 주어진 모양을 쌓는 데 사용한 쌓기나무는 몇 개인지 구해 보세요.

(   )

(2) 가장 작은 직육면체 모양을 만들 때 필요한 쌓기나무는 몇 개인지 구해 보세요.

(   )

(3) 쌓기나무는 몇 개 더 필요한지 구해 보세요.

(   )

독해력 길잡이

2-1 쌓기나무로 쌓은 모양을 층별로 나타낸 모양입니다. 이 모양에 쌓기나무를 더 쌓아 가장 작은 정육면체 모양을 만들려고 합니다. 쌓기나무는 몇 개 더 필요한지 구해 보세요.

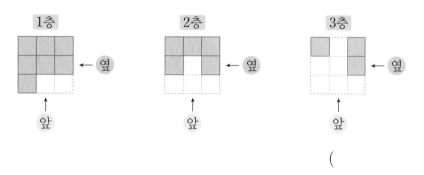

(   )

- 구하려는 것: 더 필요한 쌓기나무의 개수
- 주어진 조건: 쌓기나무로 쌓은 모양을 층별로 나타낸 모양, 가장 작은 정육면체 모양 만들기
- 해결 전략: ❶ 주어진 모양을 쌓는 데 사용한 쌓기나무의 개수 구하기
           ❷ 가장 작은 정육면체 모양을 만드는 데 필요한 쌓기나무의 개수 구하기
           ❸ ❷−❶을 계산하여 더 필요한 쌓기나무의 개수 구하기

✎ 구하려는 것(～～)과 주어진 조건(────)에 표시해 봅니다.

2-2 쌓기나무로 쌓은 모양을 층별로 나타낸 모양과 위, 앞, 옆에서 본 모양입니다. 이 모양에 쌓기나무를 더 쌓아 가장 작은 정육면체 모양을 만들려고 합니다. 쌓기나무는 몇 개 더 필요한지 구해 보세요.

(1)

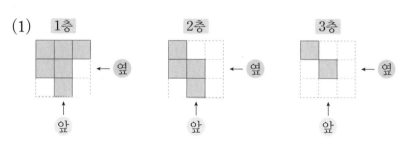

▼ **해결 전략**

쌓은 쌓기나무의 개수를 구할 때는 각 층에 쌓은 쌓기나무의 개수를 모두 더합니다.

(   )

(2)   위   앞   옆

▼ **해결 전략**

쌓은 쌓기나무의 개수는 위에서 본 모양의 각 자리에 수를 써서 알아봅니다.

(   )

1

문제 해결

쌀기나무로 쌓은 모양을 보고 위에서 본 모양에 수를 썼습니다. 이 모양에 쌓기나무를 더 쌓아 가장 작은 직육면체 모양을 만들려고 합니다. 쌀기나무는 몇 개 더 필요한지 구해 보세요.

위

	3	2
3	2	2
	3	1	1
	2	1

↑
앞

(   )

2

창의 · 융합

왼쪽과 같은 정육면체 모양에서 쌀기나무를 몇 개 빼내었더니 오른쪽과 같은 모양이 되었습니다. 빼낸 쌀기나무는 몇 개인지 구해 보세요.

(1)
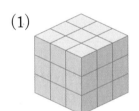 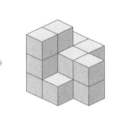

(   )

(2)
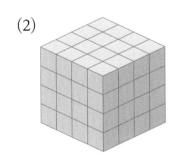 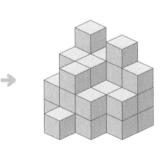

(   )

3
문제 해결

다음 모양에 쌓기나무를 더 쌓아 가장 작은 직육면체 모양과 가장 작은 정육면체 모양을 만들려고 합니다. 각각의 경우 쌓기나무는 몇 개 더 필요한지 구해 보세요.

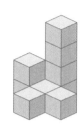 

위에서 본 모양

가장 작은 직육면체 모양을 만들 때 (   )

가장 작은 정육면체 모양을 만들 때 (   )

4
추론

쌓기나무로 쌓은 모양을 위, 앞, 옆에서 본 모양입니다. 이 모양에 쌓기나무를 더 쌓아 가장 작은 정육면체 모양을 만들려고 합니다. 쌓기나무는 몇 개 더 필요한지 구해 보세요.

위   앞   옆

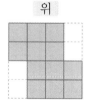 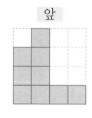 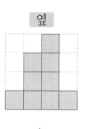

(   )

1 보이지 않는 곳의 쌓기나무 (1)

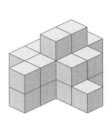

위에서 본 모양

- 쌓기나무가 가장 많을 때: ★표 자리에 쌓기나무가 2개 쌓여 있을 때입니다.

- 쌓기나무가 가장 적을 때: ★표 자리에 쌓기나무가 1개 쌓여 있을 때입니다.

> **활동 문제** 쌓기나무로 쌓은 모양을 보고 위에서 본 모양을 그렸습니다. 쌓기나무가 가장 많을 때와 가장 적을 때의 각 자리에 쌓인 쌓기나무의 개수를 써넣으세요.

①

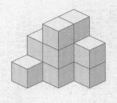

쌓기나무가 가장 많을 때

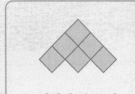

위에서 본 모양

쌓기나무가 가장 적을 때

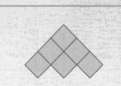

위에서 본 모양

②

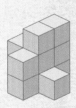

쌓기나무가 가장 많을 때

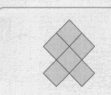

위에서 본 모양

쌓기나무가 가장 적을 때

위에서 본 모양

③

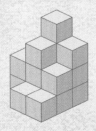

쌓기나무가 가장 많을 때

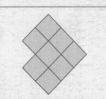

위에서 본 모양

쌓기나무가 가장 적을 때

위에서 본 모양

▶ 정답 및 해설 14쪽

2 보이지 않는 곳의 쌓기나무 (2)

보이지 않는 뒤쪽에 1개 줄어든 쌓기나무가 있을 수 있습니다.

보이지 않는 뒤쪽에
쌓기나무가
있을 수 있습니다.

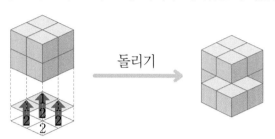

돌리기

활동 문제 쌓기나무로 쌓은 모양을 보고 쌓기나무가 가장 많을 때의 위에서 본 모양을 찾아
○표 하고, 그 모양의 각 자리에 쌓인 쌓기나무의 개수를 써넣으세요.

① 　　(　　　) 　　(　　　) 　　(　　　)

② 　　(　　　) 　　(　　　) 　　(　　　)

③ 　　(　　　) 　　(　　　) 　　(　　　)

1-1 쌓기나무로 다음과 같은 모양을 만들려고 합니다. 쌓기나무가 가장 많을 때 필요한 쌓기나무는 몇 개인지 구해 보세요.

위에서 본 모양

( )

❶ 보이는 곳에 쌓기나무가 몇 개 쌓여 있는지 알아봅니다.

❷ 보이지 않는 곳에 쌓기나무를 최대로 놓아 쌓기나무가 가장 많을 때를 생각해 봅니다.

1-2 쌓기나무로 다음과 같은 모양을 만들려고 합니다. 쌓기나무가 가장 많을 때와 가장 적을 때의 필요한 쌓기나무의 개수의 차는 몇 개인지 구해 보세요.

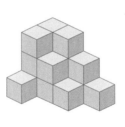

위에서 본 모양

(1) 쌓기나무가 가장 많을 때와 가장 적을 때 각 자리에 쌓인 쌓기나무의 개수를 써 보고 모두 몇 개인지 구해 보세요.

쌓기나무가 가장 많을 때

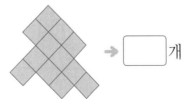

쌓기나무가 가장 적을 때

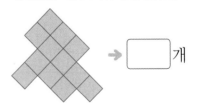

(2) 쌓기나무가 가장 많을 때와 가장 적을 때의 필요한 쌓기나무의 개수의 차는 몇 개인지 구해 보세요.

( )

2-1 다음은 쌓기나무로 쌓은 모양을 위, 앞, 옆에서 본 모양입니다. 쌓기나무를 가장 적게 사용했을 때의 쌓기나무의 개수를 구해 보세요.

위   앞   옆

(   )

- **구하려는 것:** 쌓기나무를 가장 적게 사용했을 때의 쌓기나무의 개수
- **주어진 조건:** 쌓은 모양을 위, 앞, 옆에서 본 모양
- **해결 전략:** 앞과 옆에서 본 모양을 이용하여 위에서 본 모양의 각 자리에 쌓은 쌓기나무의 개수를 써 봅니다.

✎ 구하려는 것(〜)과 주어진 조건(───)에 표시해 봅니다.

2-2 다음은 쌓기나무로 쌓은 모양을 위, 앞, 옆에서 본 모양입니다. 쌓기나무를 가장 적게 사용했을 때의 쌓기나무의 개수를 구해 보세요.

위   앞   옆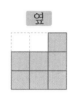

▼ **해결 전략**

앞과 옆에서 본 모양을 이용하여 위에서 본 모양의 각 자리에 쌓은 쌓기나무의 개수를 써 봅니다.

(   )

2-3 다음은 쌓기나무로 쌓은 모양을 위, 앞, 옆에서 본 모양입니다. 쌓기나무를 가장 많이 사용했을 때의 쌓기나무의 개수를 구해 보세요.

위   앞   옆

(   )

1
문제 해결

쌓기나무로 다음과 같은 모양을 만들려고 합니다. 쌓기나무가 가장 많을 때와 가장 적을 때 필요한 쌓기나무는 몇 개인지 각각 구해 보세요.

쌓기나무가 가장 많을 때 (   )
쌓기나무가 가장 적을 때 (   )

2
추론

위, 앞, 옆에서 본 모양이 다음과 같도록 쌓기나무를 쌓으려고 합니다. 모두 몇 가지로 쌓을 수 있는지 구해 보세요. (단, 돌리거나 뒤집었을 때 같은 모양인 것은 1가지로 생각합니다.)

위   앞   옆

  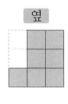

(   )

3
추론

다음과 같이 정육면체 모양으로 쌓은 모양에서 위, 앞, 옆에서 본 모양이 변하지 않게 하면서 쌓기나무를 빼내려고 합니다. 쌓기나무를 몇 개까지 빼낼 수 있는지 구해 보세요.

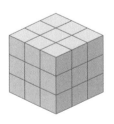

(   )

4 쌀기나무 8개로 쌓은 모양입니다. 위, 앞, 옆에서 본 모양을 각각 그려 보세요.

문제 해결

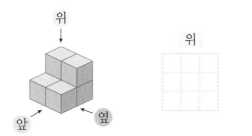

| 위 | 앞 | 옆 |

5 쌀기나무로 쌓은 모양을 위, 앞, 옆에서 본 모양입니다. 쌀기나무를 가장 많이 사용했을 때와 가장 적게 사용했을 때의 쌀기나무의 개수의 차는 몇 개인지 구해 보세요.

추론

(1)

(   )

(2)

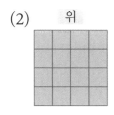
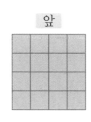
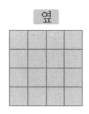

(   )

1 쌓기나무 1개를 더 붙여서 모양 만들기

• 쌓기나무 4개로 만들 수 있는 모양

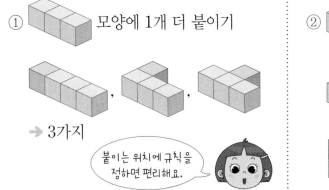

① 모양에 1개 더 붙이기

➡ 3가지

붙이는 위치에 규칙을 정하면 편리해요.

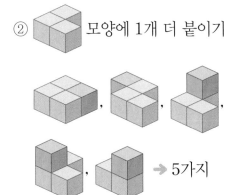

② 모양에 1개 더 붙이기

➡ 5가지

➡ 쌓기나무 4개로 만들 수 있는 모양은 모두 8가지입니다.

활동 문제   주어진 모양에 쌓기나무 1개를 더 붙여서 만들 수 있는 모양을 모두 찾아 ○표 하세요.

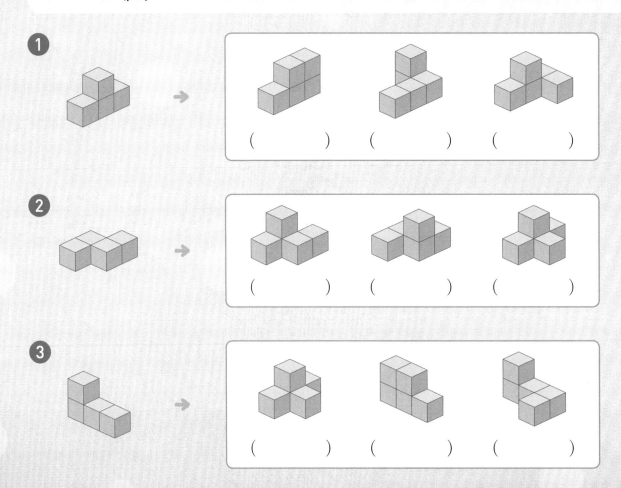

❶ ➡ (   ) (   ) (   )

❷ ➡ (   ) (   ) (   )

❸ ➡ (   ) (   ) (   )

2 두 가지 모양으로 새로운 모양 만들기

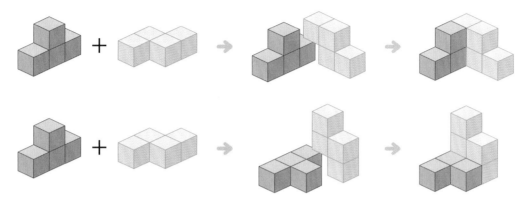

활동 문제 다음 두 가지 모양을 모두 사용하여 새로운 모양을 만들었습니다. 어떻게 만들었는지 구분하여 색칠해 보세요.

1

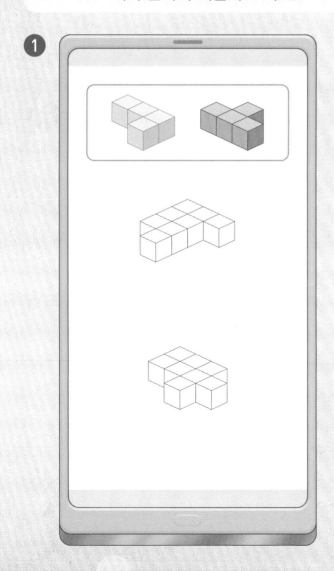

2

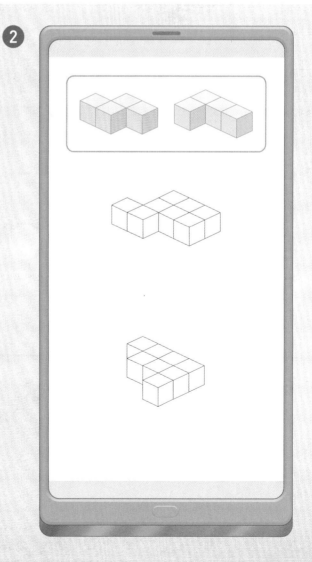

1-1 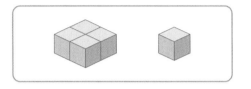 모양에 쌓기나무 1개를 더 붙여서 만들 수 있는 서로 다른 모양은 모두 몇 가지인지 구해 보세요. (단, 뒤집거나 돌려서 모양이 같으면 같은 모양입니다.)

(   )

쌓기나무 모양에 쌓기나무 1개를 더 붙여서 모양을 만들 때에는 붙이는 위치에 규칙을 정합니다.
예 시계 방향으로 붙이기, 1층에 붙인 후 2층에 붙이기 등

1-2 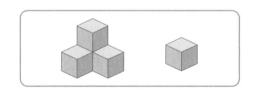 모양에 쌓기나무 1개를 더 붙여서 만들 수 있는 서로 다른 모양은 모두 몇 가지인지 구해 보세요. (단, 뒤집거나 돌려서 모양이 같으면 같은 모양입니다.)

(1) 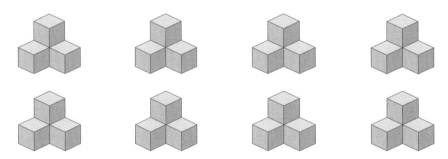 모양에 쌓기나무 1개를 더 붙여서 만들 수 있는 서로 다른 모양을 모두 만들어 보세요. (단, 뒤집거나 돌려서 모양이 같으면 같은 모양입니다.)

(2) 만들 수 있는 서로 다른 모양은 모두 몇 가지인지 구해 보세요.

(   )

독해력 길잡이

2-1
쌀기나무를 각각 4개씩 붙여서 만든 [보기]의 모양을 모두 사용하여 만들 수 있는 모양을 찾아 기호를 써 보세요.

[보기]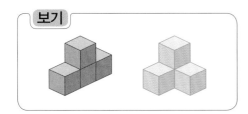

가   나 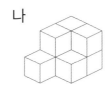   다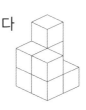

(   )

- 구하려는 것: 만들 수 있는 모양
- 주어진 조건: 모양을 만드는 데 사용할 모양
- 해결 전략: 한 모양을 뒤집거나 돌려서 자리를 정한 후 남은 부분을 나머지 모양으로 만들 수 있는지 알아봅니다.

✎ 구하려는 것(～～)과 주어진 조건(——)에 표시해 봅니다.

2-2
쌀기나무를 각각 4개씩 붙여서 만든 [보기]의 모양을 모두 사용하여 만들 수 없는 모양을 찾아 기호를 써 보세요.

(1) [보기]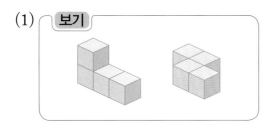

가   나   다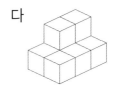

해결 전략
한 모양을 뒤집거나 돌려서 자리를 정한 후 남은 부분을 나머지 모양으로 만들 수 있는지 알아봅니다.

(   )

(2) [보기]

가   나   다

(   )

1 추론

쌀기나무를 각각 4개씩 붙여서 만든 가, 나, 다 모양 중에서 2가지를 사용하여 새로운 모양을 만들었습니다. 사용한 2가지 모양을 찾아 기호를 써 보세요.

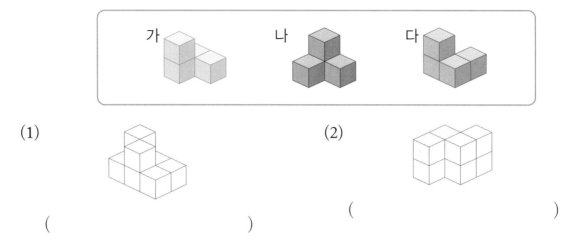

(1)

(   )

(2)

(   )

2 창의 · 융합

수민, 영빈, 현우, 하늘이가 다음과 같이 쌀기나무를 붙여서 만든 모양을 2개씩 가지고 있습니다. 각자 가지고 있는 쌀기나무 모양 2개를 사용하여 정육면체를 만들 수 있는 사람을 모두 찾아 써 보세요.

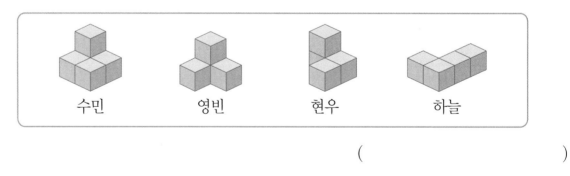

(   )

▶ 정답 및 해설 16쪽

3 모양에 쌓기나무 1개를 더 붙여서 만들 수 있는 서로 다른 모양은 모두 몇 가지인지

문제 해결

구해 보세요. (단, 뒤집거나 돌려서 모양이 같으면 같은 모양입니다.)

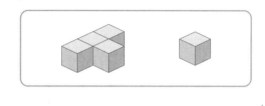

(   )

4 쌓기나무를 각각 4개씩 붙여서 만든 가, 나, 다, 라 모양 중에서 3가지를 사용하여 새로운 모양

추론

을 만들었습니다. 사용한 3가지 모양을 찾아 기호를 써 보세요.

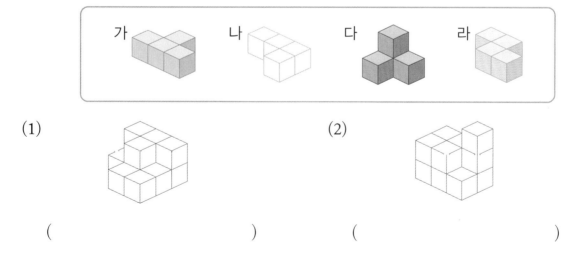

(1)   (2)

(   )   (   )

1 겹쳐진 두 도형의 넓이의 비

· 겹쳐진 부분의 넓이가 ㉮의 넓이의 $\frac{1}{4}$, ㉯의 넓이의 $\frac{1}{6}$일 때

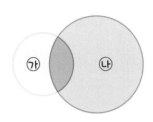

$$㉮ \times \frac{1}{4} = ㉯ \times \frac{1}{6} \longrightarrow ㉮ : ㉯ = \frac{1}{6} : \frac{1}{4}$$

외항의 곱과 내항의 곱은 같다는
비례식의 성질을 거꾸로 생각합니다.

활동 문제 　다음과 같이 두 도형 ㉮와 ㉯가 겹쳐져 있습니다. 겹쳐진 부분의 넓이를 보고 ㉮와 ㉯의 넓이의 비를 비례식으로 나타내어 보세요.

1

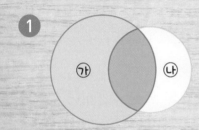

겹쳐진 부분의 넓이는 ㉮의 넓이의 $\frac{2}{5}$, ㉯의 넓이의 $\frac{1}{2}$입니다.

$$㉮ \times \frac{\square}{\square} = ㉯ \times \frac{\square}{\square} \longrightarrow ㉮ : ㉯ = \frac{\square}{\square} : \frac{\square}{\square}$$

2

겹쳐진 부분의 넓이는 ㉮의 넓이의 $\frac{1}{3}$, ㉯의 넓이의 $\frac{1}{5}$입니다.

$$㉮ \times \frac{\square}{\square} = ㉯ \times \frac{\square}{\square} \longrightarrow ㉮ : ㉯ = \frac{\square}{\square} : \frac{\square}{\square}$$

3

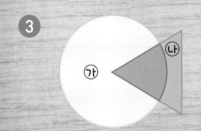

겹쳐진 부분의 넓이는 ㉮의 넓이의 $\frac{1}{6}$, ㉯의 넓이의 $\frac{3}{5}$입니다.

$$㉮ \times \frac{\square}{\square} = ㉯ \times \frac{\square}{\square} \longrightarrow ㉮ : ㉯ = \frac{\square}{\square} : \frac{\square}{\square}$$

▶ 정답 및 해설 16쪽

2 톱니 수의 비와 회전수의 비 사이의 관계

• 톱니바퀴 ㉮, ㉯가 맞물려 돌아가고 톱니바퀴 ㉮의 톱니 수가 28개, 톱니바퀴 ㉯의 톱니 수가 16개일 때

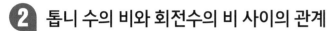

(㉮의 톱니 수) : (㉯의 톱니 수) = 28 : 16

두 수가
바뀝니다.

(㉮의 회전수) : (㉯의 회전수) = 16 : 28

> 톱니바퀴 ㉮, ㉯가 맞물린 톱니 수는 같습니다.
> 28 × (㉮의 회전수) = 16 × (㉯의 회전수)
> ㉮가 돈 전체 톱니 수　㉯가 돈 전체 톱니 수

활동 문제 맞물려 돌아가는 두 톱니바퀴 ㉮, ㉯가 있습니다. ㉮, ㉯의 톱니 수의 비와 회전수의 비를 각각 써 보세요.

1

㉮의 톱니 수가 27개, ㉯의 톱니 수가 35개일 때

➡ (㉮의 톱니 수) : (㉯의 톱니 수) = ☐ : ☐

➡ (㉮의 회전수) : (㉯의 회전수) = ☐ : ☐

2

㉮의 톱니 수가 40개, ㉯의 톱니 수가 33개일 때

➡ (㉮의 톱니 수) : (㉯의 톱니 수) = ☐ : ☐

➡ (㉮의 회전수) : (㉯의 회전수) = ☐ : ☐

3

㉮의 톱니 수가 25개, ㉯의 톱니 수가 36개일 때

➡ (㉮의 톱니 수) : (㉯의 톱니 수) = ☐ : ☐

➡ (㉮의 회전수) : (㉯의 회전수) = ☐ : ☐

1-1 오른쪽과 같이 두 도형 ㉮와 ㉯가 겹쳐져 있습니다. 겹쳐진 부분의 넓이는 ㉮의 넓이의 $\frac{2}{3}$이고, ㉯의 넓이의 $\frac{1}{3}$입니다. ㉮와 ㉯의 넓이의 비를 간단한 자연수의 비로 나타내어 보세요.

(   )

❶ 겹쳐진 부분의 넓이를 곱셈식으로 나타냅니다. ㉮×■=㉯×●
❷ 거꾸로 생각하여 곱셈식을 비례식으로 나타냅니다. ㉮×■=㉯×● ➡ ㉮ : ㉯=● : ■

1-2 오른쪽과 같이 두 도형 ㉮와 ㉯가 겹쳐져 있습니다. 겹쳐진 부분의 넓이는 ㉮의 넓이의 $\frac{3}{10}$이고, ㉯의 넓이의 $\frac{2}{5}$입니다. ㉮와 ㉯의 넓이의 비를 간단한 자연수의 비로 나타내어 보세요.

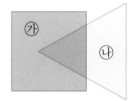

(1) 겹쳐진 부분의 넓이를 곱셈식으로 나타낸 다음 곱셈식을 비례식으로 나타내어 보세요.

$$㉮ \times \frac{\Box}{\Box} = ㉯ \times \frac{\Box}{\Box} \quad \rightarrow \quad ㉮ : ㉯ = \frac{\Box}{\Box} : \frac{\Box}{\Box}$$

(2) ㉮와 ㉯의 넓이의 비를 간단한 자연수의 비로 나타내어 보세요.

(   )

1-3 오른쪽과 같이 두 도형 ㉮와 ㉯가 겹쳐져 있습니다. 겹쳐진 부분의 넓이는 ㉮의 넓이의 $\frac{2}{9}$이고, ㉯의 넓이의 $\frac{4}{7}$입니다. ㉮와 ㉯의 넓이의 비를 간단한 자연수의 비로 나타내어 보세요.

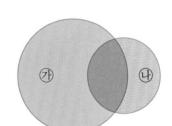

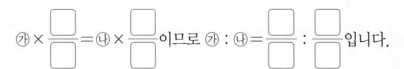

$$㉮ \times \frac{\Box}{\Box} = ㉯ \times \frac{\Box}{\Box} \text{이므로 } ㉮ : ㉯ = \frac{\Box}{\Box} : \frac{\Box}{\Box} \text{입니다.}$$

따라서 ㉮와 ㉯의 넓이의 비를 간단한 자연수의 비로 나타내면 $\boxed{} : \boxed{}$입니다.

2-1 맞물려 돌아가는 두 톱니바퀴 ㉮와 ㉯가 있습니다. ㉮의 톱니 수는 32개, ㉯의 톱니 수는 24개일 때, ㉮와 ㉯의 회전수의 비를 간단한 자연수의 비로 나타내어 보세요.

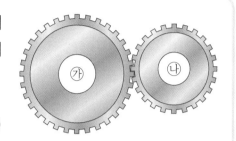

(   )

- 구하려는 것: ㉮와 ㉯의 회전수의 비를 간단한 자연수의 비로 나타내기
- 주어진 조건: ㉮의 톱니 수는 32개, ㉯의 톱니 수는 24개
- 해결 전략: ❶ ㉮와 ㉯의 톱니 수의 비 구하기
  ❷ ㉮와 ㉯의 톱니 수의 비에서 두 수를 바꾸어 회전수의 비 구하기
  ❸ ㉮와 ㉯의 회전수의 비를 간단한 자연수의 비로 나타내기

✎ 구하려는 것(∼∼)과 주어진 조건(——)에 표시해 봅니다.

2-2 맞물려 돌아가는 두 톱니바퀴 ㉮와 ㉯가 있습니다. ㉮의 톱니 수는 30개, ㉯의 톱니 수는 40개일 때, ㉮와 ㉯의 회전수의 비를 간단한 자연수의 비로 나타내어 보세요.

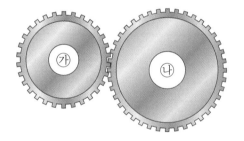

해결 전략
❶ ㉮와 ㉯의 톱니 수의 비 구하기
❷ ㉮와 ㉯의 회전수의 비 구하기
❸ 회전수의 비를 간단한 자연수의 비로 나타내기

(   )

2-3 맞물려 돌아가는 두 톱니바퀴 ㉮와 ㉯가 있습니다. ㉮가 6번 회전할 때 ㉯는 9번 회전합니다. ㉮와 ㉯의 톱니 수의 비를 간단한 자연수의 비로 나타내어 보세요.

(   )

1 주어진 식을 보고 ㉮와 ㉯의 비를 간단한 자연수의 비로 나타내어 보세요.

문제 해결

(1)
$$㉮ \times 1.5 = ㉯ \times 2$$

(   )

(2)
$$㉮ \times 2\frac{2}{3} = ㉯ \times 1.2$$

(   )

2 다음과 같이 육각형 ㉮와 원 ㉯가 겹쳐져 있습니다. 겹쳐진 부분의 넓이는 ㉮의 $\frac{2}{5}$이고, ㉯의

문제 해결

24 %입니다. ㉮와 ㉯의 넓이의 비를 간단한 자연수의 비로 나타내어 보세요.

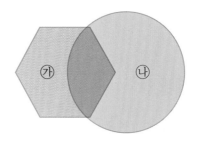

(   )

3 영은이네 학교 여학생 수는 남학생 수의 $\frac{6}{7}$입니다. 영은이네 학교 여학생 수와 남학생 수의 비

추론

를 간단한 자연수의 비로 나타내어 보세요.

(   )

4
추론

맞물려 돌아가는 두 톱니바퀴 ㉮와 ㉯가 있습니다. ㉮가 45번 회전할 때 ㉯는 27번 회전합니다. ㉮와 ㉯의 톱니 수의 비를 간단한 자연수의 비로 나타내어 보세요.

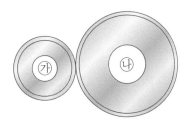

(   )

 5
창의·융합

지구의 반지름은 수성의 반지름의 약 2.5배입니다. 지구의 반지름과 수성의 반지름의 비를 간단한 자연수의 비로 나타내어 보세요.

(   )

 6
문제 해결

㉮ 신발을 정가에서 15 % 인상한 금액과 ㉯ 신발을 정가에서 20 % 할인한 금액이 같습니다. ㉮와 ㉯ 신발의 정가의 비를 간단한 자연수의 비로 나타내어 보세요.

(   )

1 현영, 윤아, 보라, 수지가 쌓기나무로 여러 가지 모양을 만들었습니다. 다음을 보고 친구들이 만든 모양을 찾아 이어 보세요. 창의·융합

1층의
쌓기나무의 개수가
7개

현영
·

쌓기나무가
위로 올라갈수록
1개씩 줄어드는 규칙

윤아
·

전체
쌓기나무의 개수가
27개

보라
·

3층의
쌓기나무의 개수가
1개

수지
·

·

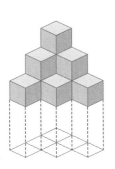

·

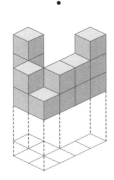

·

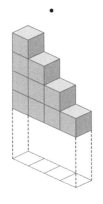

·

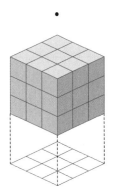

2 아래 문제의 답이 적힌 과일을 차례대로 지나가면 게임 단계를 통과할 수 있습니다. 지나가야 할 과일을 순서대로 써 보세요. 창의·융합

1 $1.4 : \dfrac{2}{5}$ 를 간단한 자연수의 비로 나타내었더니 $7 : \square$ 가 되었습니다. $\square$ 안에 알맞은 수는 얼마일까요?

2 $42 : 24 = \square : 4$ 에서 $\square$ 안에 알맞은 수는 얼마일까요?

3 ㉮ $\times 2 = $ ㉯ $\times 3$ 일 때, ㉮와 ㉯의 비를 구해 보세요.

4 맞물려 돌아가는 두 톱니바퀴 ㉮와 ㉯의 톱니 수의 비가 $48 : 37$ 일 때, ㉮와 ㉯의 회전수의 비를 구해 보세요.

(   )

3 사람들이 인식하기에 가장 균형적인 비를 황금비라 하고 약 1 : 1.6이라고 합니다. 오른쪽과 같이 고대 그리스 시대의 유명한 조각 작품인 밀로의 비너스에서도 황금비를 찾아볼 수 있습니다. 황금비 1 : 1.6을 간단한 자연수의 비로 나타내어 보세요. 문제 해결

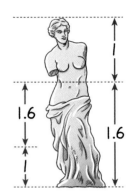

(　　　　　　　　　)

4 여진이는 다음 규칙으로 쌓기나무를 쌓으려고 합니다. ■＝4일 때 필요한 쌓기나무는 몇 개인지 구해 보세요. (단, ■는 1보다 큰 자연수입니다.) 코딩

오른쪽 모양은 쌓기나무로 쌓은 모양의 1층 모양입니다.

1층

↓

㉠, ㉢, ㉤ 자리에는 쌓기나무 ■개를 쌓습니다.

↓

㉡, ㉣ 자리에는 쌓기나무 (■－1)개를 쌓습니다.

↓

■＞2이면 ㉥ 자리에는 1층까지만 쌓습니다.
■＝2이면 모든 자리에 쌓기나무를 1개 더 쌓습니다.

(　　　　　　　　　)

5 돌순이가 쇼를 하고 있습니다. 가로와 세로의 비가 6 : 11인 틀을 건드리면 먹이를 먹을 수 있습니다. 어떤 틀을 건드려야 하는지 찾아 기호를 써 보세요. 문제 해결

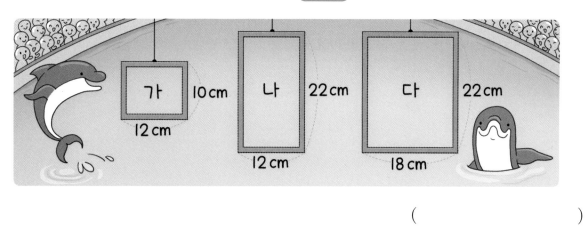

(   )

6 소마큐브는 다음 7개의 조각으로 이루어진 입체 퍼즐로 7개의 조각을 조합하여 하나의 정육면체를 만들 수 있습니다.

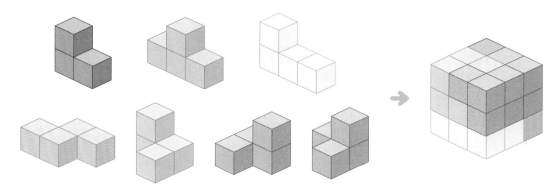

위의 7개의 조각 중 2개를 골라 다음과 같은 모양을 만들었습니다. 어떻게 만들었는지 구분하여 색칠해 보세요. 창의·융합

 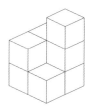

7 오른쪽 그림과 같은 규칙으로 쌓기나무를 6층으로 쌓았습니다. 이때 어떤 방향에서 보아도 보이지 않는 쌓기나무는 모두 몇 개인지 구해 보세요. (단, 각 층에 놓인 쌓기나무 모양은 정사각형 모양이고 아래쪽에서는 쌓기나무를 볼 수 없습니다.) 문제 해결

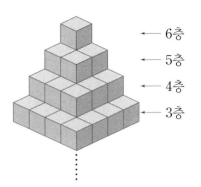

(   )

8 쌓기나무 10개로 쌓은 모양을 위와 앞에서 본 모양입니다. 옆에서 본 모양을 그려 보세요. 추론

위

앞

옆

9 다음은 쌓기나무 10개로 쌓은 모양입니다. 위, 앞, 옆에서 본 모양이 변하지 않게 하면서 쌓기나무를 더 쌓으려고 합니다. 쌓기나무를 더 쌓을 수 있는 곳에 쌓기나무를 그려 넣으세요. 창의·융합

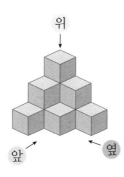

10 오른쪽은 쌓기나무 14개로 쌓은 모양입니다. 이 모양에서 위, 앞, 옆에서 본 모양이 변하지 않게 하면서 쌓기나무를 빼내려고 합니다. 쌓기나무를 몇 개까지 빼낼 수 있는지 구해 보세요. 창의·융합

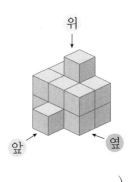

(   )

1 쌓기나무로 1층 위에 2층을 쌓으려고 합니다. 1층 모양을 보고 2층 모양으로 알맞은 것을 찾아 기호를 써 보세요.

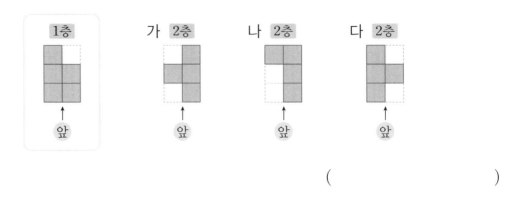

(   )

2 다음과 같이 구멍이 있는 블록 통에 쌓기나무를 붙여서 만든 모양을 넣으려고 합니다. 넣을 수 없는 쌓기나무 모양을 찾아 기호를 써 보세요. (단, 각 모양의 뒤쪽에는 보이지 않는 쌓기나무가 없습니다.)

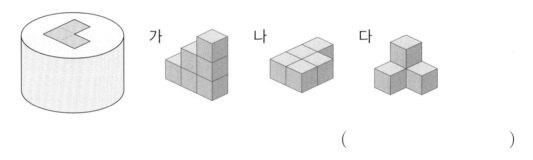

(   )

[3~4] 다음 모양에 쌓기나무를 더 쌓아 가장 작은 정육면체 모양을 만들려고 합니다. 쌓기나무는 몇 개 더 필요한지 구해 보세요.

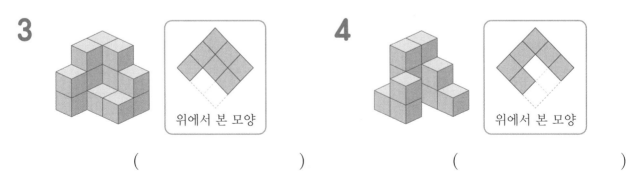

위에서 본 모양

위에서 본 모양

3 (   )

4 (   )

5 쌓기나무로 다음과 같은 모양을 만들려고 합니다. 쌓기나무가 가장 적을 때 필요한 쌓기나무는 몇 개인지 구해 보세요.

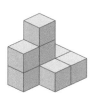 

위에서 본 모양

( )

6 보기 의 두 가지 모양을 모두 사용하여 새로운 모양을 만들었습니다. 어떻게 만들었는지 구분하여 색칠해 보세요.

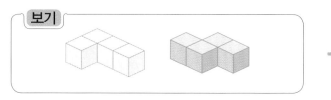 

보기

7 오른쪽과 같이 두 도형 ㉮와 ㉯가 겹쳐져 있습니다. 겹쳐진 부분의 넓이는 ㉮의 넓이의 $\frac{1}{5}$이고, ㉯의 넓이의 $\frac{1}{3}$입니다. ㉮와 ㉯의 넓이의 비를 간단한 자연수의 비로 나타내어 보세요.

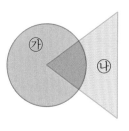

( )

8 자전거에는 연결되어 돌아가는 두 톱니바퀴 ㉮와 ㉯가 있습니다. ㉮의 톱니 수는 56개이고 ㉯의 톱니 수는 28개입니다. ㉮와 ㉯의 회전수의 비를 간단한 자연수의 비로 나타내어 보세요.

( )

너 비례식 알아?

비례식이면~

성이 '비'씨고 이름이 '례식'인 사람을 말하는 건가?

비례식이란 비율이 같은 두 비를 기호 '＝'를 사용하여 나타낸 식을 말하는 거라고.

6 : 8의 비율 → $\dfrac{6}{8} = \dfrac{3}{4}$

9 : 12의 비율 → $\dfrac{9}{12} = \dfrac{3}{4}$

비례식 → 6 : 8＝9 : 12

세상에 비례식을 사람 이름이라고 생각하는게 어딨어!

그…… 그런가?

그럼 비례식의 성질도 당연히 모르겠네.

비례식도 모르는데 비례식의 성질이 좋은지 나쁜지 내가 어떻게 알아.

헐~

비례식의 성질은 비례식에서 외항의 곱과 내항의 곱이 같다는 걸 뜻해.

외항의 곱: $6 \times 12 = 72$

내항의 곱: $8 \times 9 = 72$

외항

6 : 8＝9 : 12

내항

만화로 미리 보기

(원주율)＝(원주)÷(지름)

비례식: 비율이 같은 두 비를 기호 '='를 사용하여
나타낸 식

외항 (바깥쪽에 있는 두 수)

2 : 3 = 4 : 6

내항 (안쪽에 있는 두 수)

비례식에서 외항의 곱과 내항의 곱은 같습니다.

2 : 3 = 4 : 6

외항의 곱: $2 \times 6 = 12$ ⎤
내항의 곱: $3 \times 4 = 12$ ⎦ 같습니다.

| 확인 문제 | 한번 더 |

1-1 비 3 : 4와 비율이 같은 비를 찾아 비례식으로 나타내어 보세요.

4 : 3   8 : 6   9 : 12

$3 : 4 = \boxed{} : \boxed{}$

1-2 비율이 같은 두 비를 찾아 비례식으로 나타내어 보세요.

2 : 1   5 : 3   8 : 4   3 : 6

(   )

2-1 비례식을 찾아 기호를 써 보세요.

㉠ 3 : 2 = 2 : 3
㉡ 6 : 4 = 3 : 2

(   )

2-2 비례식을 찾아 기호를 써 보세요.

㉠ 0.7 : 0.2 = 8 : 5
㉡ $\frac{1}{2} : \frac{1}{8} = 16 : 4$

(   )

3-1 비례식에서 ☐ 안에 알맞은 수를 써넣으세요.

$5 : 7 = 40 : \boxed{}$

3-2 비례식에서 ☐ 안에 알맞은 수를 써넣으세요.

$\frac{3}{4} : \boxed{} = 5 : 6$

교과 내용 확인하기

▶ 정답 및 해설 19쪽

• 전체를 가 : 나 = ■ : ▲ 로 비례배분하기

가: (전체) × $\dfrac{■}{■+▲}$ 나: (전체) × $\dfrac{▲}{■+▲}$

(원주율) = (원주) ÷ (지름)

↓

(원주) = (지름) × (원주율)
(지름) = (원주) ÷ (원주율)

확인 문제

한번 더

4-1 20을 가 : 나 = 3 : 2로 비례배분해 보세요.

가 (   )

나 (   )

4-2 360을 가 : 나 = 4 : 5로 비례배분해 보세요.

가 (   )

나 (   )

5-1 원주를 구해 보세요. (원주율: 3.14)

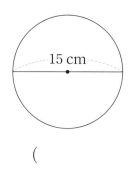

(   )

5-2 원주를 구해 보세요. (원주율: 3.14)

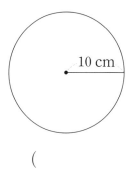

(   )

6-1 원주가 37.2 cm인 원입니다. ☐ 안에 알맞은 수를 써넣으세요. (원주율: 3.1)

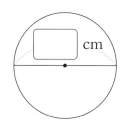

6-2 원주가 49.6 cm인 원입니다. ☐ 안에 알맞은 수를 써넣으세요. (원주율: 3.1)

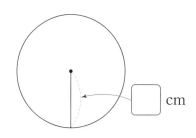

1 비가 주어졌을 때 비례식 세우기

초등학생과 어른의 박물관 입장료의 비는 2 : 3입니다. 초등학생의 입장료가 1000원
일 때 어른의 입장료를 구해 보세요.

              └─□원이라 하고 비례식을 세웁니다.

> 비의 전항에
> 초등학생의 입장료를 놓고
> 비의 후항에 어른의 입장료를 놓아
> 비례식을 세웁니다.

$$2 : 3 = 1000 : \square \;\rightarrow\; 2 \times \square = 3 \times 1000$$

$$2 \times \square = 3000$$

$$\square = 1500$$

어른 / 초등학생 / 어른 / 초등학생

활동 문제 태극기의 가로와 세로의 비는 3 : 2입니다. ■의 길이를 구하는 비례식을 찾아
○표 하세요.

①

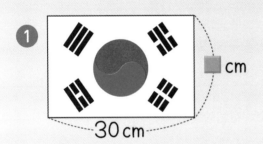

30 cm   ■ cm

$3 : 2 = 30 : \blacksquare$

$3 : 2 = \blacksquare : 30$

②

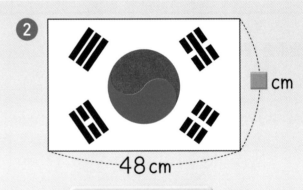

48 cm   ■ cm

$3 : 2 = 48 : \blacksquare$

$3 : 2 = \blacksquare : 48$

③

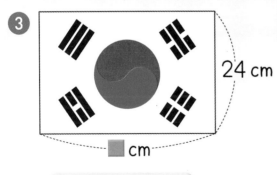

24 cm   ■ cm

$3 : 2 = 24 : \blacksquare$

$3 : 2 = \blacksquare : 24$

④

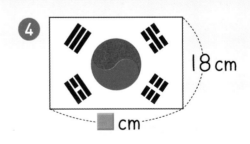

18 cm   ■ cm

$3 : 2 = 18 : \blacksquare$

$3 : 2 = \blacksquare : 18$

2 비가 주어지지 않았을 때 비례식 세우기

3분 동안 42 L의 물이 일정하게 나오는 수도로 98 L의 물을 받는 데 걸리는 시간은 몇 분인지 구해 보세요.
└──□분이라 하고 비례식을 세웁니다.

방법1 시간과 물의 양의 비율이 같음을 이용합니다.

시간┐ ┌물의 양 시간┐ ┌물의 양

$$3 : 42 = □ : 98$$
$$3 \times 98 = 42 \times □$$
$$□ = 7$$

방법2 시간의 비율과 물의 양의 비율이 같음을 이용합니다.

시간┐ ┌물의 양

$$3 : □ = 42 : 98$$
$$3 \times 98 = □ \times 42$$
$$□ = 7$$

활동 문제 일정한 빠르기로 움직이고 있는 드론이 알맞게 세운 비례식에 착륙하려고 합니다. 드론이 착륙할 곳을 모두 찾아 ○표 하세요.

1

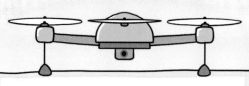

2시간 동안 15 km를 가는 드론이 3시간 동안 가는 거리를 구하는 비례식에 착륙합니다.

$$2 : 15 = 3 : □$$

$$2 : 15 = □ : 3$$

$$2 : 3 = □ : 15$$

$$2 : 3 = 15 : □$$

2

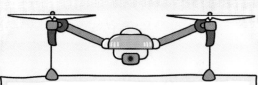

5시간 동안 24 km를 가는 드론이 72 km를 가는 데 걸리는 시간을 구하는 비례식에 착륙합니다.

$$5 : 24 = 72 : □$$

$$5 : 24 = □ : 72$$

$$5 : □ = 24 : 72$$

$$5 : □ = 72 : 24$$

1-1 과일 가게에 있는 사과와 귤의 수의 비는 3 : 4입니다. 사과가 72개라면 귤은 몇 개인지 구해 보세요.

(   )

❶ 과일 가게에 있는 귤의 수를 ☐개라 하고 비례식을 세웁니다.
❷ 외항의 곱과 내항의 곱이 같다는 비례식의 성질을 이용하여 ☐의 값을 구합니다.

1-2 우식이네 집에서는 쌀과 잡곡을 7 : 2의 비로 섞어서 밥을 짓습니다. 쌀을 280 g 넣었다면 잡곡은 몇 g 넣은 것인지 구해 보세요.

(1) 넣은 잡곡의 양을 ☐g이라 하고 비례식을 세워 보세요.

식

(2) 잡곡은 몇 g 넣은 것인지 구해 보세요.

(   )

1-3 재우와 상엽이가 나누어 가진 구슬 수의 비는 5 : 6입니다. 상엽이가 가진 구슬 수가 48개라면 재우가 가진 구슬 수는 몇 개인지 구해 보세요.

재우가 가진 구슬 수를 ■개라 하고 비례식을 세우면 5 : 6 = ■ : ☐ 입니다.

→ 5 × ☐ = 6 × ■, 6 × ■ = ☐, ■ = ☐

따라서 재우가 가진 구슬 수는 ☐개입니다.

2-1 일정한 빠르기로 3시간에 267 km를 달리는 자동차가 있습니다. 이 자동차로 5시간 동안 달릴 수 있는 거리는 몇 km인지 구해 보세요.

(   )

- 구하려는 것: 5시간 동안 달릴 수 있는 거리
- 주어진 조건: 3시간에 267 km를 달림
- 해결 전략: ❶ 5시간 동안 달릴 수 있는 거리를 ☐ km라 하고 비례식 세우기
  ❷ 외항의 곱과 내항의 곱이 같다는 비례식의 성질을 이용하여 ☐ 구하기

✎ 구하려는 것(〜〜)과 주어진 조건(────)에 표시해 봅니다.

2-2 어떤 사람이 5일 동안 일을 하고 45만 원을 받았습니다. 이 사람이 9일 동안 일을 하면 얼마를 받겠는지 구해 보세요.

해결 전략
❶ 9일 동안 일을 하고 받는 돈을 ☐원이라 하고 비례식 세우기
❷ 외항의 곱과 내항의 곱이 같다는 비례식의 성질을 이용하여 ☐ 구하기

(   )

2-3 바닷물 10 L를 증발시키면 소금 44 g을 얻을 수 있습니다. 소금 330 g을 얻으려면 진하기가 같은 바닷물 몇 L를 증발시켜야 하는지 비례식을 2가지로 세워서 답을 구해 보세요.

비례식1 _____   비례식2 _____

답 _____

1
문제 해결

어느 야구 선수가 10타수마다 안타를 4번씩 친다고 합니다. 이 선수는 250타수 중에서 안타를 몇 번 칠 것으로 예상되는지 구해 보세요.

타수는 타자가 타석에 들어서서 타격을 완료한 횟수예요.

(   )

2
창의 · 융합

어른과 초등학생의 미술관 입장료의 비가 5 : 2이고, 어른 1명의 입장료는 2000원입니다. 어른 3명과 초등학생 5명이 입장할 때 필요한 입장료는 모두 얼마인지 구해 보세요.

(1) 초등학생 1명의 입장료는 얼마인지 구해 보세요.

(   )

(2) 어른 3명과 초등학생 5명이 입장할 때 필요한 입장료는 모두 얼마인지 구해 보세요.

(   )

3

문제 해결

하루에 8분씩 빨라지는 시계가 있습니다. 오늘 오후 3시에 정확한 시각으로 맞추어 놓았습니다. 내일 오후 6시에 이 시계가 가리키는 시각은 오후 몇 시 몇 분인지 구해 보세요.

오후 (   )

3주
1일

4

창의 · 융합

오른쪽은 하늘에서 내려다 본 어느 공항 활주로의 모습입니다. 활주로의 실제 길이는 6 km인데 이 그림에서 5 cm로 나타냈다면 그림에서 1 mm로 나타낸 활주로의 폭은 실제로는 몇 m인지 구해 보세요.

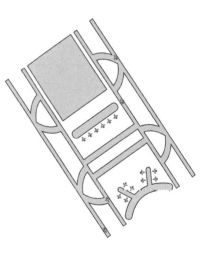

(   )

1 평행선 사이에 있는 도형의 넓이의 비 구하기

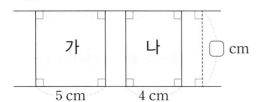

(가의 넓이) : (나의 넓이)$= (5 \times \square) : (4 \times \square)$

$\rightarrow (5 \times \square \div \square) : (4 \times \square \div \square)$

$\rightarrow 5 : 4$ ─가로의 비와 같습니다.

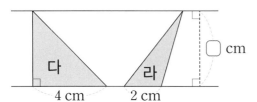

(다의 넓이) : (라의 넓이)$= (4 \times \square \div 2) : (2 \times \square \div 2)$

$\rightarrow (2 \times \square) : \square$

$\rightarrow (2 \times \square \div \square) : (\square \div \square)$

$\rightarrow 2 : 1$ ─밑변의 길이의 비와 같습니다.

활동 문제 평행선 사이에 있는 두 도형의 넓이의 비를 간단한 자연수의 비로 나타내어 보세요.

1
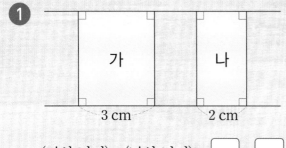

(가의 넓이) : (나의 넓이)$= \square : \square$

2
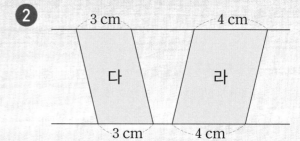

(다의 넓이) : (라의 넓이)$= \square : \square$

3
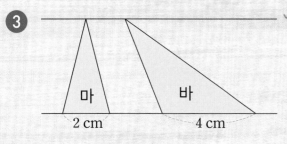

(마의 넓이) : (바의 넓이)$= \square : \square$

4
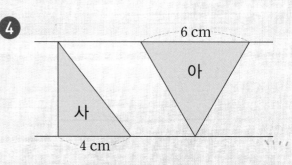

(사의 넓이) : (아의 넓이)$= \square : \square$

▶ 정답 및 해설 20쪽

2 비례식을 이용하여 톱니바퀴 회전수 구하기

㉮의 톱니 수가 36개, ㉯의 톱니 수가 24개일 때 톱니바퀴 ㉮가 10바퀴 도는 동안 톱니바퀴 ㉯는 몇 바퀴 도는지 구해 보세요.

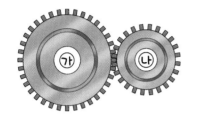

(㉮의 톱니 수) : (㉯의 톱니 수)＝36 : 24

➡ (36÷12) : (24÷12)

➡ 3 : 2
　　✕ 두 수가 바뀝니다.

➡ (㉮의 회전수) : (㉯의 회전수)＝2 : 3

톱니바퀴 ㉮가 10바퀴 도는 동안 톱니바퀴 ㉯가 ☐바퀴 돈다고 하면

2 : 3＝10 : ☐ ➡ 2×☐＝3×10, 2×☐＝30, ☐＝15

따라서 톱니바퀴 ㉮가 10바퀴 도는 동안 톱니바퀴 ㉯는 15바퀴 돕니다.

활동 문제 맞물려 돌아가는 두 톱니바퀴 ㉮, ㉯가 있습니다. ㉮, ㉯의 회전수의 비를 간단한 자연수의 비로 나타내고, 주어진 문제를 푸는 데 알맞은 비례식을 찾아 ○표 해 보세요.

①

㉮의 톱니 수가 38개, ㉯의 톱니 수가 19개일 때 톱니바퀴 ㉮가 4바퀴 도는 동안 톱니바퀴 ㉯는 몇 바퀴 도는지 구해 보세요.

(㉮의 회전수) : (㉯의 회전수)＝ ☐ : ☐

알맞은 비례식 찾기 (2 : 1＝4 : ■ , 1 : 2＝4 : ■)

②

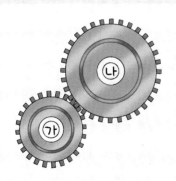

㉮의 톱니 수가 24개, ㉯의 톱니 수가 32개일 때 톱니바퀴 ㉯가 24바퀴 도는 동안 톱니바퀴 ㉮는 몇 바퀴 도는지 구해 보세요.

(㉮의 회전수) : (㉯의 회전수)＝ ☐ : ☐

알맞은 비례식 찾기 (3 : 4＝■ : 24 , 4 : 3＝■ : 24)

1-1 평행선 사이에 있는 두 도형 가와 나의 넓이의 비를 간단한 자연수의 비로 나타내어 보세요.

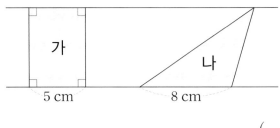

5 cm   8 cm

(   )

❶ 평행선 사이의 거리를 ☐ cm라 하고 두 도형의 넓이를 구하여 비로 나타냅니다.
❷ ❶에서 구한 넓이의 비를 간단한 자연수의 비로 나타냅니다.

1-2 평행선 사이에 있는 두 도형 가와 나의 넓이의 비를 간단한 자연수의 비로 나타내어 보세요.

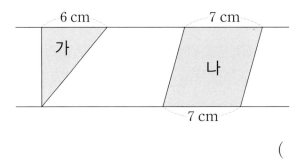

6 cm   7 cm

7 cm

(   )

1-3 두 직사각형 가와 나의 세로는 같습니다. 가와 나의 넓이의 비를 간단한 자연수의 비로 나타내어 보세요.

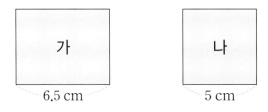

6.5 cm   5 cm

두 직사각형의 세로가 같으므로 넓이의 비는 (가로 , 세로)의 비와 같습니다.

따라서 두 직사각형 가와 나의 넓이의 비는 6.5 : ☐ 이므로

간단한 자연수의 비로 나타내면 ☐ : ☐ 입니다.

2-1 맞물려 돌아가는 두 톱니바퀴 ㉮, ㉯가 있습니다. ㉮의 톱니 수는 18개, ㉯의 톱니 수는 45개입니다. 톱니바퀴 ㉮가 25바퀴 도는 동안 톱니바퀴 ㉯는 몇 바퀴 돌게 되는지 구해 보세요.

(   )

- 구하려는 것: 톱니바퀴 ㉮가 25바퀴 도는 동안 톱니바퀴 ㉯의 회전수
- 주어진 조건: ㉮의 톱니 수 18개, ㉯의 톱니 수 45개
- 해결 전략: ❶ 톱니 수의 비를 이용하여 회전수의 비 구하기
  ❷ 톱니바퀴 ㉮가 25바퀴 도는 동안 톱니바퀴 ㉯가 도는 회전수를 ☐바퀴라 하고 비례식을 세운 다음 ☐ 구하기

✎ 구하려는 것(〰〰)과 주어진 조건(──)에 표시해 봅니다.

2-2 맞물려 돌아가는 두 톱니바퀴 ㉮, ㉯가 있습니다. ㉮의 톱니 수는 64개, ㉯의 톱니 수는 48개입니다. 톱니바퀴 ㉯가 52바퀴 도는 동안 톱니바퀴 ㉮는 몇 바퀴 돌게 되는지 구해 보세요.

해결 전략
❶ 톱니 수의 비를 이용하여 회전수의 비 구하기
❷ 톱니바퀴 ㉯가 52바퀴 도는 동안 톱니바퀴 ㉮가 도는 회전수를 ☐바퀴라 하고 비례식을 세운 다음 ☐ 구하기

(   )

2-3 맞물려 돌아가는 두 톱니바퀴 ㉮, ㉯가 있습니다. 톱니바퀴 ㉮가 5바퀴 도는 동안 톱니바퀴 ㉯는 3바퀴 돕니다. ㉮의 톱니 수가 180개일 때 ㉯의 톱니 수는 몇 개인지 구해 보세요.

(   )

1

서로 평행한 두 직선 사이에 있는 두 도형 가와 나의 넓이의 비를 간단한 자연수의 비로 나타내어 보세요.

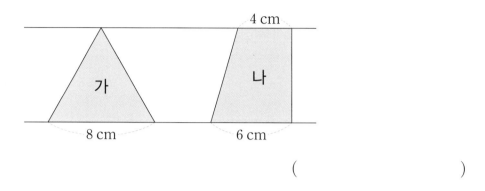

(   )

2

맞물려 돌아가는 두 톱니바퀴 ㉮, ㉯가 있습니다. 톱니바퀴 ㉮가 12바퀴 도는 동안 톱니바퀴 ㉯는 18바퀴 돕니다. ㉯의 톱니 수가 26개일 때 ㉮와 ㉯ 중 어느 것의 톱니 수가 몇 개 더 많은지 구해 보세요.

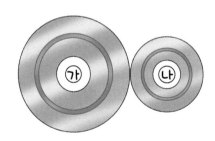

(1) ㉮의 톱니 수는 몇 개인지 구해 보세요.

(   )

(2) ㉮와 ㉯ 중 어느 것의 톱니 수가 몇 개 더 많은지 차례로 써 보세요.

(   ), (   )

3

맞물려 돌아가는 두 톱니바퀴 ㉮, ㉯가 있습니다. 톱니바퀴 ㉮는 5분 동안 240바퀴 돌고, 톱니바퀴 ㉯는 8분 동안 448바퀴 돕니다. ㉯의 톱니 수가 54개일 때 ㉮의 톱니 수는 몇 개인지 구해 보세요.

(1) 톱니바퀴 ㉮와 ㉯는 1분 동안 몇 바퀴 도는지 각각 구해 보세요.

㉮ (   ), ㉯ (   )

(2) ㉮와 ㉯의 톱니 수의 비를 간단한 자연수의 비로 나타내어 보세요.

(   )

(3) ㉮의 톱니 수는 몇 개인지 구해 보세요.

(   )

3주 2일

4 문제 해결

다음 그림에서 직선 가와 나는 서로 평행합니다. 평행사변형과 직사각형의 넓이의 비가 5 : 3일 때 ☐ 안에 알맞은 수를 써넣으세요.

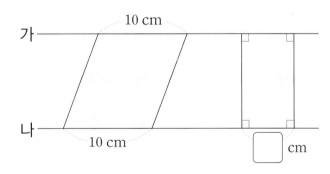

3일 개념·원리 길잡이 이익금 구하기

1 투자한 금액의 비로 이익금 나누기

형이 5만 원, 동생이 3만 원을 투자하여 얻은 이익금 1만 원을 <u>투자한 금액의 비</u>로 나누어 보세요.
└ 5 : 3

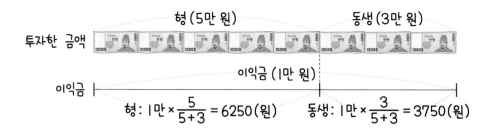

투자한 금액   형(5만 원)   동생(3만 원)

이익금   이익금(1만 원)

형: $1만 \times \dfrac{5}{5+3} = 6250$(원)   동생: $1만 \times \dfrac{3}{5+3} = 3750$(원)

활동문제 다음은 각 회사가 투자한 금액과 얻은 전체 이익금입니다. 각 회사가 투자한 금액의 비를 간단한 자연수의 비로 나타내고, 전체 이익금을 투자한 금액의 비로 나누어 보세요.

❶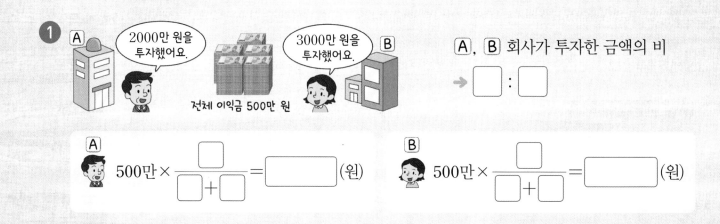

Ⓐ 2000만 원을 투자했어요. 전체 이익금 500만 원   Ⓑ 3000만 원을 투자했어요.

Ⓐ, Ⓑ 회사가 투자한 금액의 비
➡ ☐ : ☐

Ⓐ $500만 \times \dfrac{\Box}{\Box+\Box} = \boxed{}$(원)

Ⓑ $500만 \times \dfrac{\Box}{\Box+\Box} = \boxed{}$(원)

❷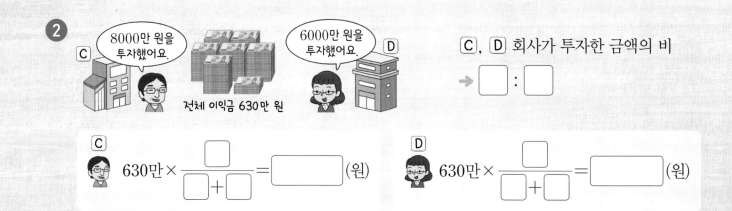

Ⓒ 8000만 원을 투자했어요. 전체 이익금 630만 원   Ⓓ 6000만 원을 투자했어요.

Ⓒ, Ⓓ 회사가 투자한 금액의 비
➡ ☐ : ☐

Ⓒ $630만 \times \dfrac{\Box}{\Box+\Box} = \boxed{}$(원)

Ⓓ $630만 \times \dfrac{\Box}{\Box+\Box} = \boxed{}$(원)

2 비례배분하기 전의 전체 이익금 구하기

언니가 3만 원, 동생이 4만 원을 투자하여 얻은 이익금을 투자한 금액의 비로 나누어
가졌습니다. 언니가 가진 이익금이 15000원일 때 전체 이익금을 구해 보세요. └─ 3:4

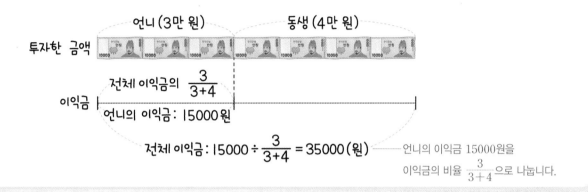

전체 이익금: $15000 \div \dfrac{3}{3+4} = 35000$ (원) ── 언니의 이익금 15000원을
이익금의 비율 $\dfrac{3}{3+4}$으로 나눕니다.

활동 문제 다음은 각 회사가 투자한 금액과 투자한 금액의 비로 나누어 가진 이익금입니다. 각 회사가 투자한 금액의 비를 간단한 자연수의 비로 나타내고, 각 회사가 투자하여 얻은 전체 이익금을 구해 보세요.

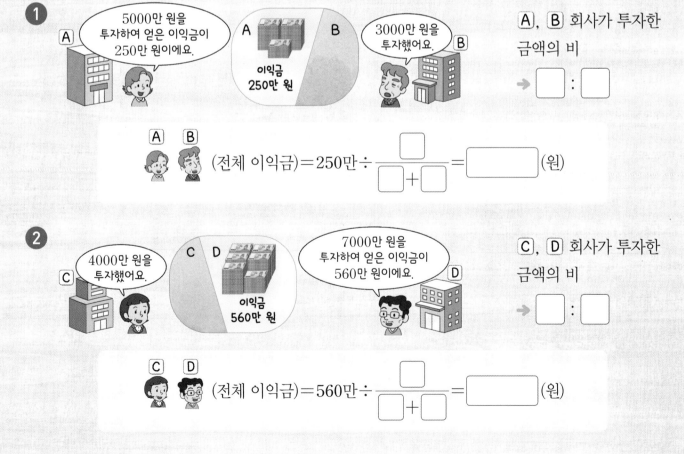

1-1 갑과 을이 각각 250만 원, 200만 원을 투자하여 180만 원의 이익금을 얻었습니다. 이익금을 투자한 금액의 비로 나누어 가질 때, 갑은 얼마를 가지게 되는지 구해 보세요.

> 먼저 투자한 금액의 비를 간단한 자연수의 비로 나타내요.

갑

> 제가 투자한 금액이 더 적으니까 이익금도 더 적게 가지겠죠?

을

(   )

❶ 갑과 을이 투자한 금액의 비를 간단한 자연수의 비로 나타냅니다.

❷ 이익금을 투자한 금액의 비로 비례배분하여 갑이 가지게 되는 이익금을 구합니다.

1-2 갑과 을이 각각 500만 원, 1000만 원을 투자하여 420만 원의 이익금을 얻었습니다. 이익금을 투자한 금액의 비로 나누어 가질 때, 갑과 을은 각각 얼마를 가지게 되는지 구해 보세요.

(1) 갑과 을이 투자한 금액의 비를 간단한 자연수의 비로 나타내어 보세요.

(   )

(2) 갑과 을은 각각 얼마를 가지게 되는지 구해 보세요.

갑 (   ), 을 (   )

1-3 갑과 을이 각각 800만 원, 320만 원을 투자하여 245만 원의 이익금을 얻었습니다. 이익금을 투자한 금액의 비로 나누어 가질 때, 갑과 을은 각각 얼마를 가지게 되는지 구해 보세요.

갑과 을이 투자한 금액의 비를 간단한 자연수의 비로 나타내면 ☐ : ☐ 입니다.

➡ 갑이 가지게 되는 이익금은 $245만 \times \dfrac{\Box}{\Box} = \boxed{}$ (원)이고,

을이 가지게 되는 이익금은 $245만 \times \dfrac{\Box}{\Box} = \boxed{}$ (원)입니다.

2-1 ㉮와 ㉯ 두 사람이 각각 500만 원, 700만 원을 투자하여 얻은 이익금을 투자한 금액의 비로 나누어 가졌습니다. ㉮가 가진 이익금이 25만 원일 때, 전체 이익금은 얼마인지 구해 보세요.

먼저 두 사람이 투자한 금액의 비를 간단한 자연수의 비로 나타내요.

(   )

3주
3일

- 구하려는 것: 전체 이익금
- 주어진 조건: ㉮와 ㉯가 각각 500만 원, 700만 원을 투자함, 이익금을 투자한 금액의 비로 나누어 가졌을 때 ㉮가 가진 이익금이 25만 원
- 해결 전략: ❶ ㉮와 ㉯가 투자한 금액의 비를 간단한 자연수의 비로 나타내기
  ❷ 전체 이익금 구하기 ➡ (전체 이익금)＝(㉮가 가진 이익금)÷(㉮가 가진 이익금의 비율)

✎ 구하려는 것(～～)과 주어진 조건(――)에 표시해 봅니다.

2-2 ㉮와 ㉯ 두 사람이 각각 800만 원, 600만 원을 투자하여 얻은 이익금을 투자한 금액의 비로 나누어 가졌습니다. ㉯가 가진 이익금이 180만 원일 때, 전체 이익금은 얼마인지 구해 보세요.

해결 전략
❶ ㉮와 ㉯가 투자한 금액의 비를 간단한 자연수의 비로 나타내기
❷ 전체 이익금 구하기

(   )

2-3 오른쪽은 유진이의 몸의 길이를 재어 나타낸 비입니다. 머리부터 배꼽까지의 길이가 72 cm라면 머리부터 발까지 전체 길이는 몇 cm인지 구해 보세요.

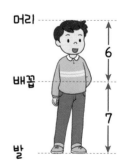

머리
6
배꼽
7
발

(   )

1
문제 해결

색종이 988장을 학생 수의 비에 따라 두 반에 나누어 주려고 합니다. 1반과 2반에 색종이를 각각 몇 장 나누어 주어야 하는지 구해 보세요.

반	1반	2반
학생 수(명)	18	21

1반 (   ), 2반 (   )

2
창의 · 융합

직각삼각형 ㄱㄴㄷ에서 ㉠과 ㉡의 각도의 비는 2 : 1입니다. ㉠과 ㉡의 각도를 각각 구해 보세요.

㉠ (   )
㉡ (   )

> 삼각형의 세 각의 크기의 합은 180°예요.

3
문제 해결

어떤 수를 가 : 나＝2 : 5로 비례배분하면 가는 120이라고 합니다. 어떤 수를 다 : 라＝2 : 1로 비례배분하면 라는 얼마인지 구해 보세요.

(1) 어떤 수를 구해 보세요.

(   )

(2) 어떤 수를 다 : 라＝2 : 1로 비례배분하면 라는 얼마인지 구해 보세요.

(   )

4 200 cm의 끈을 겹치지 않게 모두 사용하여 가로와 세로의 비가 7 : 3인 직사각형 모양을 만들었습니다. 이 직사각형의 넓이를 구해 보세요.

창의·융합

(1) 직사각형의 가로와 세로의 합은 몇 cm인지 구해 보세요.

(   )

(2) 직사각형의 가로와 세로는 각각 몇 cm인지 구해 보세요.

가로 (   ), 세로 (   )

(3) 직사각형의 넓이는 몇 cm²인지 구해 보세요.

(   )

5 삼각형 ㄱㄴㄷ에서 선분 ㄴㄹ과 선분 ㄹㄷ의 길이의 비는 3 : 4입니다. 삼각형 ㄱㄹㄷ의 넓이가 220 cm²라면 삼각형 ㄱㄴㄷ의 넓이는 몇 cm²인지 구해 보세요.

추론

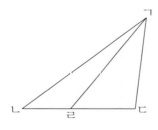

(1) 삼각형 ㄱㄴㄹ과 삼각형 ㄱㄹㄷ의 넓이의 비를 간단한 자연수의 비로 나타내어 보세요.

(   )

(2) 삼각형 ㄱㄴㄷ의 넓이는 몇 cm²인지 구해 보세요.

(   )

1 지름의 합이 같은 원들의 원주의 합

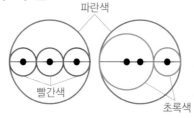

(파란색 원의 지름)

=(빨간색 원 3개의 지름의 합)

=(초록색 원 2개의 지름의 합)

(파란색 원의 원주)

=(빨간색 원 3개의 원주의 합)

=(초록색 원 2개의 원주의 합)

활동 문제   둘레가 62.4 cm인 원 모양 피자 도우 위에 원 모양의 붉은색 페퍼로니를 올렸습니다. 페퍼로니 1개의 둘레를 구해 보세요. (단, 페퍼로니의 크기는 각각 모두 같습니다.)

1

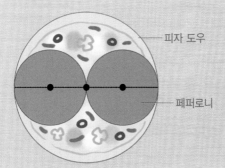

(페퍼로니 1개의 둘레)

= 62.4 ÷ ▢ = ▢ (cm)

2

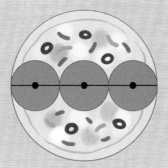

(페퍼로니 1개의 둘레)

= 62.4 ÷ ▢ = ▢ (cm)

3

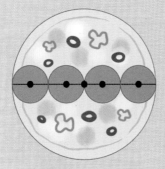

(페퍼로니 1개의 둘레)

= ▢ ÷ ▢ = ▢ (cm)

4

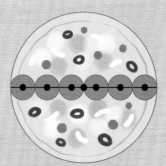

(페퍼로니 1개의 둘레)

= ▢ ÷ ▢ = ▢ (cm)

2 원의 일부분의 둘레

곡선 부분의 길이가 원주의 몇 분의 몇인지 알아봅니다.

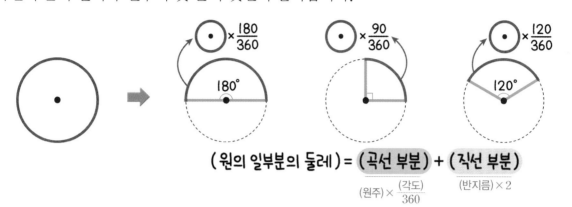

$$(\text{원의 일부분의 둘레}) = \boxed{(\text{곡선 부분})} + \boxed{(\text{직선 부분})}$$

$(\text{원주}) \times \dfrac{(\text{각도})}{360}$ $(\text{반지름}) \times 2$

활동 문제 반지름이 같은 원 모양 피자의 일부분입니다. 피자의 둘레를 구하는 식을 찾아 이어 보세요.

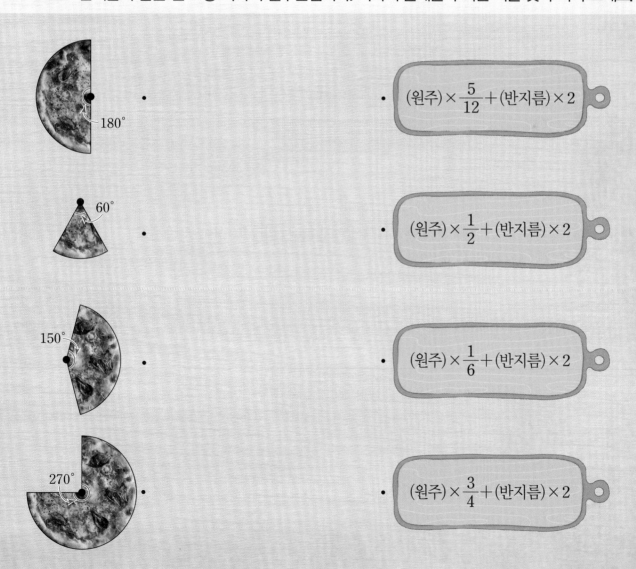

6단계 B ● 111

1-1 빨간색 원의 크기는 모두 같고 파란색 원의 원주는 27.9 cm입니다. 빨간색 원의 지름은 몇 cm인지 파란색 원의 지름을 구하지 않고 해결해 보세요. (원주율: 3.1)

(   )

❶ 빨간색 원 1개의 원주를 구합니다. ➡ (빨간색 원 1개의 원주)=(파란색 원의 원주)÷3
❷ 빨간색 원의 지름을 구합니다. ➡ (지름)=(원주)÷(원주율)

1-2 빨간색 원의 크기는 모두 같고 파란색 원의 원주는 50.24 cm입니다. 빨간색 원의 반지름은 몇 cm인지 파란색 원의 지름을 구하지 않고 해결해 보세요. (원주율: 3.14)

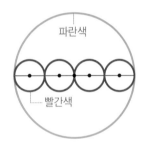

(1) 빨간색 원 1개의 원주는 몇 cm인지 구해 보세요.

(   )

(2) 빨간색 원의 반지름은 몇 cm인지 구해 보세요.

(   )

1-3 빨간색 원 3개의 원주의 합은 56.52 cm입니다. 파란색 원의 지름은 몇 cm인지 구해 보세요. (원주율: 3.14)

파란색 원의 원주는 빨간색 원 3개의 원주의 합과 (같습니다 , 다릅니다).

따라서 파란색 원의 원주는 [   ] cm입니다.

➡ (파란색 원의 지름)= [   ] ÷ [   ] = [   ] (cm)

2-1 밑면의 반지름이 3 cm인 원 모양의 음료수 캔 3개를 그림과 같이 끈으로 한 바퀴 돌려 묶었습니다. 사용한 끈의 길이는 몇 cm인지 구해 보세요. (단, 매듭을 짓는 데 사용한 끈의 길이는 생각하지 않습니다.) (원주율: 3.1)

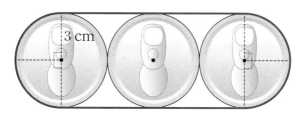

(   )

- 구하려는 것: 사용한 끈의 길이
- 주어진 조건: 음료수 캔을 끈으로 한 바퀴 돌려 묶은 그림, 원주율
- 해결 전략: (사용한 끈의 길이)＝(곡선 부분 끈의 길이의 합)＋(직선 부분 끈의 길이의 합)
  이때, 곡선 부분 끈의 길이의 합은 반지름이 3 cm인 원의 원주와 같습니다.

✎ 구하려는 것(〜〜〜)과 주어진 조건(———)에 표시해 봅니다.

2-2 밑면의 반지름이 4 cm인 원 모양의 참치 캔 4개를 그림과 같이 끈으로 한 바퀴 돌려 묶었습니다. 사용한 끈의 길이는 몇 cm인지 구해 보세요. (단, 매듭을 짓는 데 사용한 끈의 길이는 생각하지 않습니다.) (원주율: 3.14)

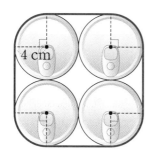

해결 전략

사용한 끈의 길이는 곡선 부분 끈의 길이의 합과 직선 부분 끈의 길이의 합을 각각 구하여 더합니다.
이때, 곡선 부분 끈의 길이의 합은 반지름이 4 cm인 원의 원주와 같습니다.

(1) 곡선 부분 끈의 길이의 합과 직선 부분 끈의 길이의 합은 각각 몇 cm인지 구해 보세요.

곡선 부분 (   )

직선 부분 (   )

(2) 사용한 끈의 길이는 몇 cm인지 구해 보세요.

(   )

1 반지름이 6 cm인 세 원의 중심을 이어서 삼각형 ㄱㄴㄷ을 그렸습니다. 색칠한 부분의 둘레는 몇 cm인지 구해 보세요. (원주율: 3.14)

창의·융합

(1) 색칠한 부분의 둘레에서 곡선 부분의 길이의 합은 몇 cm인지 구해 보세요.

(   )

(2) 색칠한 부분의 둘레에서 직선 부분의 길이의 합은 몇 cm인지 구해 보세요.

(   )

(3) 색칠한 부분의 둘레는 몇 cm인지 구해 보세요.

(   )

2 반원을 이용하여 다음과 같은 모양을 그렸습니다. 초록색 선의 길이가 33 cm일 때 파란색 반원의 지름은 몇 cm인지 구해 보세요. (원주율: 3)

문제 해결

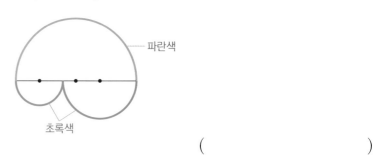

(   )

▶ 정답 및 해설 23쪽

3 지름이 20 cm인 원 모양의 통나무 6개를 그림과 같이 끈으로 한 바퀴 돌려 묶으려고 합니다. 필요한 끈의 길이는 몇 cm인지 구해 보세요. (단, 매듭을 짓는 데 필요한 끈의 길이는 생각하지 않습니다.) (원주율: 3.1)

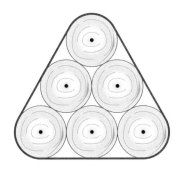

곡선 부분을 모으면 어떻게 될지 생각해 보아요.

(   )

4 반원을 이용하여 다음과 같은 모양을 그려 색칠하였습니다. 가장 큰 반원의 반지름이 8 cm일 때 색칠한 부분의 둘레는 몇 cm인지 구해 보세요. (원주율: 3.14)

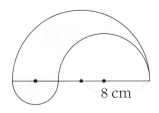

가장 작은 반원과 중간 크기 반원의 지름의 합은 가장 큰 반원의 지름과 같아요.

8 cm

(   )

1 굴렁쇠가 굴러간 거리

• 굴렁쇠가 한 바퀴 굴러가면 굴러간 거리는 굴렁쇠의 원주와 같습니다.

←————움직인 거리————→

• 굴렁쇠가 한 바퀴 반 굴러가면 굴러간 거리는 굴렁쇠의 원주의 1.5배입니다.

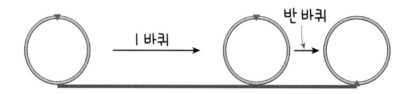

반 바퀴

1 바퀴

(굴렁쇠가 굴러간 거리)＝(굴렁쇠의 원주)×(굴러간 바퀴 수)

활동 문제 굴렁쇠가 굴러간 바퀴 수가 다음과 같을 때 굴러간 거리를 구해 보세요. (원주율: 3)

1

2바퀴 굴러갔어.

80 cm

굴러간 거리: ☐ cm

2

50 cm

3바퀴 반 굴러갔어.

굴러간 거리: ☐ cm

▶ 정답 및 해설 24쪽

2 돌아간 바퀴 수

자전거가 움직인 거리는 바퀴가 굴러간 거리와 같습니다.

➡ 자전거가 움직인 거리를 원주로 나누면 자전거 바퀴가 몇 바퀴 돌았는지 구할 수 있습니다.

예 자전거를 타고 3 m를 갔을 때 돌아간 바퀴 수 알아보기 (원주율: 3)

➡ 바퀴의 원주가 $40 \times 3 = 120$ (cm)이므로 3 m = 300 cm를 가는 동안
$300 \div 120 = 2.5$(바퀴)를 돕니다.

활동 문제 540 cm를 가는 동안 자전거 바퀴가 각각 돌아간 바퀴 수를 구해 보세요. (원주율: 3)

자전거가 움직이는 동안 바퀴들이 굴러간 거리는 모두 같아요.

앞바퀴 (   )

뒷바퀴 (   )

보조 바퀴 (   )

1-1 콜라 캔이 10바퀴 굴러가서 멈췄습니다. 콜라 캔이 굴러간 거리는 몇 cm인지 구해 보세요.

(원주율: 3.1)

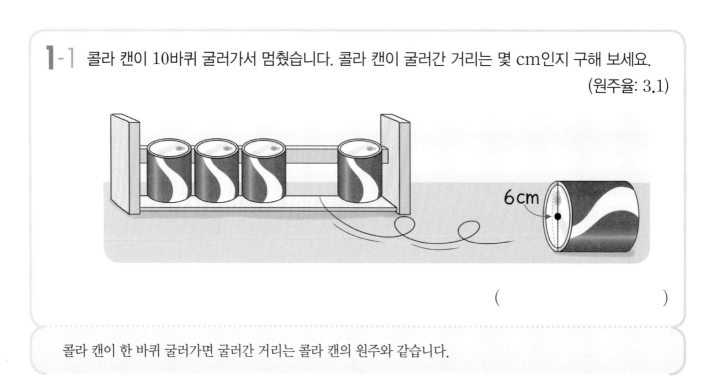

( )

콜라 캔이 한 바퀴 굴러가면 굴러간 거리는 콜라 캔의 원주와 같습니다.

1-2 바깥쪽 지름이 80 cm인 훌라후프가 3바퀴 반 굴러가고 넘어졌습니다. 훌라후프가 굴러간 거리는 몇 cm인지 구해 보세요. (원주율: 3)

(1) 훌라후프의 원주는 몇 cm인지 구해 보세요.

( )

(2) 훌라후프가 한 바퀴 굴러가면 굴러간 거리는 몇 cm인지 구해 보세요.

( )

(3) 훌라후프가 3바퀴 반 굴러가면 굴러간 거리는 몇 cm인지 구해 보세요.

( )

2-1 현재가 장난감 오토바이를 가지고 놀고 있습니다. 앞바퀴가 한 바퀴 도는 동안 뒷바퀴는 몇 바퀴 도는지 구해 보세요. (원주율: 3)

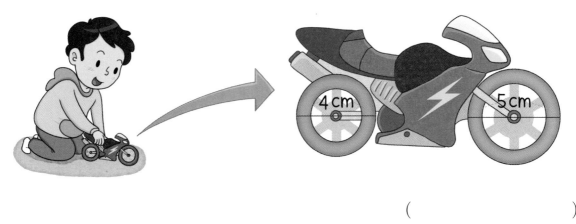

(   )

- 구하려는 것: 뒷바퀴가 도는 바퀴 수
- 주어진 조건: 오토바이 바퀴의 지름, 앞바퀴가 한 바퀴 돌음, 원주율
- 해결 전략: ❶ 앞바퀴가 한 바퀴 도는 동안 오토바이가 움직이는 거리 구하기
  ❷ 앞바퀴가 움직이는 거리만큼 갈 때 뒷바퀴는 몇 바퀴 도는지 구하기

✎ 구하려는 것(〜〜)과 주어진 조건(——)에 표시해 봅니다.

2-2 효진이 동생이 걸음마 보조기로 걷는 동안 앞바퀴가 20바퀴 돌았습니다. 뒷바퀴는 몇 바퀴 돌았는지 구해 보세요. (원주율: 3)

해결 전략
❶ 앞바퀴가 20바퀴 도는 동안 얼마나 걸었는지 구하기
❷ 뒷바퀴는 몇 cm를 움직일 때마다 한 바퀴씩 도는지 구하기
❸ 앞바퀴가 20바퀴 도는 동안 뒷바퀴는 몇 바퀴 돌았는지 구하기

(   )

1 추론

지름이 70 cm인 원 모양의 바퀴 자를 사용하여 집에서 학교까지의 거리를 알아보려고 합니다. 바퀴 자가 100바퀴 돌았다면 집에서 학교까지의 거리는 몇 m인지 구해 보세요. (원주율: 3.14)

(   )

2 추론

햄스터가 반지름이 12 cm인 원 모양의 쳇바퀴를 돌고 있습니다. 쳇바퀴를 50바퀴 돌았다면 햄스터가 달린 거리는 몇 cm인지 구해 보세요. (단, 쳇바퀴의 두께는 생각하지 않습니다.)

(원주율: 3.14)

(   )

3

문제 해결

반지름이 25 cm인 원 모양의 굴렁쇠를 몇 바퀴 굴렸더니 앞으로 450 cm만큼 굴러갔습니다. 굴렁쇠를 몇 바퀴 굴린 것인지 구해 보세요. (원주율: 3)

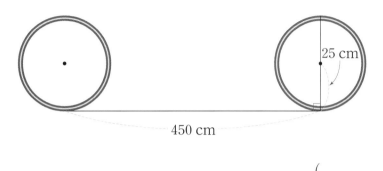

25 cm

450 cm

(   )

4

창의·융합

휠체어는 이동이 불편한 사람들의 이동을 도와주는 바퀴를 단 의자입니다. 큰 바퀴가 60바퀴를 도는 동안 작은 바퀴는 몇 바퀴를 도는지 구해 보세요. (원주율: 3.1)

30 cm

15 cm

(   )

1 반별로 받은 귤 90개를 학생 수에 따라 두 모둠에 나누어 주려고 합니다. 각 모둠이 가져갈 귤 봉지를 찾아 이어 보세요. 문제 해결

2 비례식에서 ☐ 안에 알맞은 수를 따라가면 엄마가 나옵니다. 지나간 길을 나타내고 엄마를 찾아 ◯표 해 보세요. 추론

출발

$3 : 6 = 2 : \square$
4 5

$3 : 5 = 6 : \square$
8 9

$8 : 4 = \square : 3$
5 6

$20 : 8 = \square : 6$
18 15

3 겨우내 먹을 김치를 담글 때에는 배추를 소금물에 절입니다. 소금과 물의 무게의 비율을 1 : 9로 맞춘 소금물에 배추를 절이면 맛있는 김치를 만들 수 있습니다. 배추를 절이기 위해 준비한 물 27 kg에 소금 몇 kg을 녹여야 하는지 비례식을 세워서 답을 구해 보세요. (창의·융합)

비례식 _____ 답 _____

4 시현이와 여원이가 6000원짜리 피자를 시켜서 같이 먹었습니다. 시현이는 5조각, 여원이는 3조각을 먹었습니다. 시현이와 여원이는 각각 얼마씩 내면 되는지 구해 보세요. (문제 해결)

시현 (   )
여원 (   )

▶ 정답 및 해설 25쪽

5 굴렁쇠를 굴리면서 움직인 거리가 18.6 m입니다. 굴렁쇠는 몇 바퀴 돌았는지 구해 보세요.
(원주율: 3.1) 추론

75 cm

(   )

6 벨트로 연결된 두 바퀴가 있습니다. 큰 바퀴가 1바퀴 돌 때 작은 바퀴는 3바퀴 돈다고 합니다. 큰 바퀴의 바깥쪽 지름이 24 cm일 때 작은 바퀴의 바깥쪽 지름은 몇 cm인지 구해 보세요. (원주율: 3.1)
문제 해결

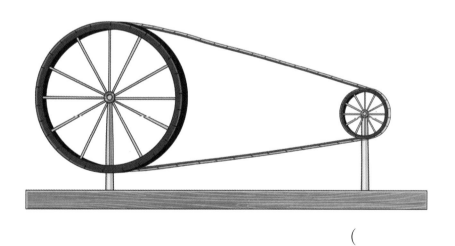

(   )

7 조건 에 맞게 비례식을 완성해 보세요. 추론

> 조건
> • 각 비의 비율은 $\frac{2}{3}$입니다.
> • 내항의 곱은 36입니다.

$$6 : \square = \square : \square$$

8 크기가 같은 원 모양의 음료수 캔 3개를 그림과 같이 끈으로 한 번 묶었습니다. 매듭의 길이는 생각하지 않을 때, 사용한 끈의 길이는 몇 cm인지 구해 보세요. (원주율: 3.1) 문제 해결

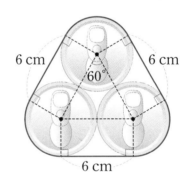

6 cm　　6 cm
60°
6 cm

① 음료수 캔의 반지름은 몇 cm인지 구해 보세요.

(　　　　　)

② 곡선 부분의 길이의 합은 몇 cm인지 구해 보세요.

(　　　　　)

③ 직선 부분의 길이의 합은 몇 cm인지 구해 보세요.

(　　　　　)

④ 사용한 끈의 길이는 몇 cm인지 구해 보세요.

(　　　　　)

9 각 상자에 구슬이 들어오면 아래에 연결된 통로의 넓이의 비로 비례배분하여 들어온 구슬이 내려갑니다. 구슬 72개를 가장 위에 있는 상자에 넣고 구슬이 모두 내려갔을 때 각 상자에 들어 있는 구슬의 수를 ☐ 안에 써넣으세요. (단, 통로의 높이는 모두 같습니다.) 문제 해결

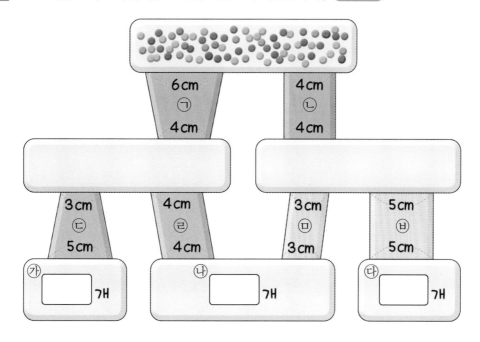

10 지름이 30 cm인 원 모양의 시계를 405 cm 거리만큼 굴렸습니다. 시계가 굴러서 멈췄을 때의 시계의 모양으로 알맞은 것을 찾아 기호를 써 보세요. (단, 시계의 시각은 그대로입니다.) (원주율: 3) 코딩

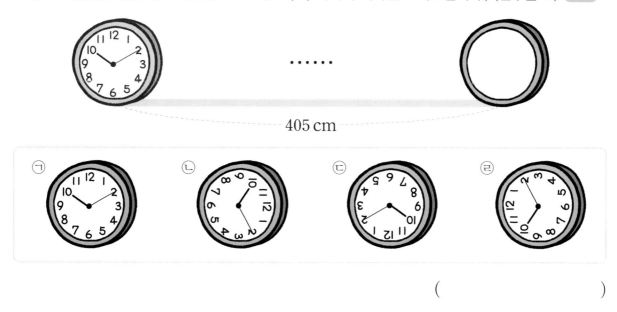

(   )

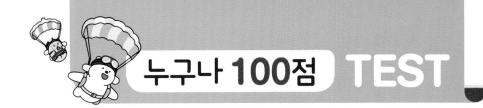
1 서율이네 집에서는 쌀과 콩을 8 : 1로 섞어서 밥을 짓습니다. 쌀을 320 g 넣었다면 콩은 몇 g 넣어야 하는지 비례식을 세워서 답을 구해 보세요.

비례식 _____ 답 _____

2 서로 평행한 두 직선 사이에 있는 두 도형 가와 나의 넓이의 비를 간단한 자연수의 비로 나타내어 보세요.

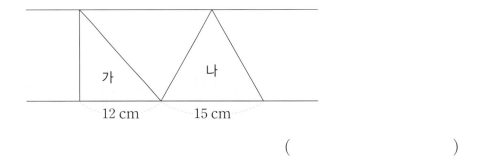

(   )

3 전기 자동차가 일정한 빠르기로 6 km를 달리는 데 5분이 걸렸습니다. 같은 빠르기로 180 km를 달린다면 몇 시간 몇 분이 걸리는지 비례식을 세워서 답을 구해 보세요.

비례식 _____ 답 _____

4 3분 동안 18 L의 물이 일정하게 나오는 수도로 150 L들이의 욕조에 물을 가득 채우려고 합니다. 적어도 몇 분 동안 물을 받아야 하는지 비례식을 세워서 답을 구해 보세요.

비례식 _____ 답 _____

5 가 회사와 나 회사가 각각 2조, 3조를 투자하여 2000억의 이익금을 얻었습니다. 이익금을 투자한 금액의 비로 나누어 가질 때 가 회사가 가지게 되는 이익금은 얼마인지 구해 보세요.

(   )

6 빨간색 원 3개의 원주의 합은 43.4 cm입니다. 파란색 원의 지름은 몇 cm인지 구해 보세요.

(원주율: 3.1)

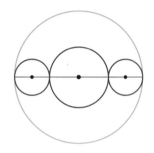

(   )

7 태극기의 중앙에 있는 원 모양은 태극 문양입니다. 태극 문양의 지름은 태극기의 세로의 $\frac{1}{2}$입니다. 태극기의 세로가 40 cm일 때, 태극 문양 중 파란색 부분의 둘레는 몇 cm인지 구해 보세요. (원주율: 3)

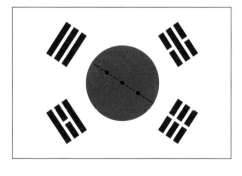

(   )

8 지름이 60 cm인 원 모양의 바퀴 자를 사용하여 집에서 마트까지의 거리를 알아보려고 합니다. 바퀴 자가 80바퀴 돌았다면 집에서 마트까지의 거리는 몇 m인지 구해 보세요. (원주율: 3.1)

(   )

만화로 미리 보기

(원의 넓이)
＝(반지름) × (반지름)
× (원주율)
이니까

(피자의 넓이)
＝ 15 × 15 × (원주율)
로 구해.

힝~
망했다.

잠시 후…

내기에서 이겨서 그런지 맛이 더 좋은 것 같아~.

목이 마르네.

원기둥 모양인 것 좀 집어 줄래?

원기둥 이라면……

둥글둥글 이건가?

그건 구 모양의 치즈볼이잖아.

구는 농구공, 축구공 등과 같은 입체도형을 말하는 거야.

원기둥은 위와 아래에 있는 면이 서로 평행하고 합동인 원으로 이루어진 입체도형 이라고.

호호~ 나는 모르는 게 없는 수학 전재 인가봐~

치익~!!

삐약!

내가 콜라를 많이 흔들어서 주었지롱~

• 원의 넓이

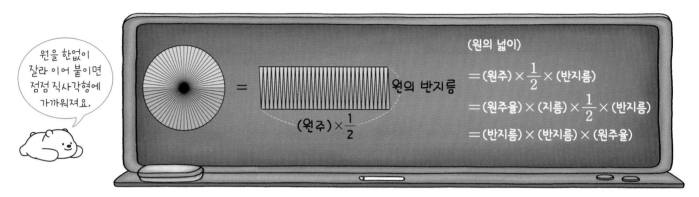

원을 한없이 잘라 이어 붙이면 점점 직사각형에 가까워져요.

(원의 넓이)

= (원주) × $\frac{1}{2}$ × (반지름)

= (원주율) × (지름) × $\frac{1}{2}$ × (반지름)

= (반지름) × (반지름) × (원주율)

확인 문제

1-1 원의 넓이를 구해 보세요. (원주율: 3.14)

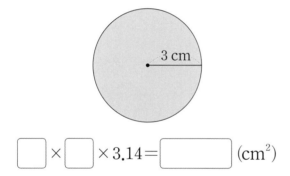

$\boxed{}$ × $\boxed{}$ × 3.14 = $\boxed{}$ (cm²)

한번 더

1-2 원의 반지름을 이용하여 원의 넓이를 구해 보세요. (원주율: 3)

반지름 (cm)	원의 넓이를 구하는 식	원의 넓이 (cm²)
2		
5		

2-1 색칠한 부분의 넓이를 구해 보세요.

(원주율: 3.1)

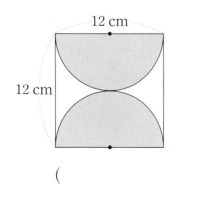

(   )

2-2 색칠한 부분의 넓이를 구해 보세요.

(원주율: 3.1)

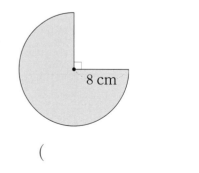

(   )

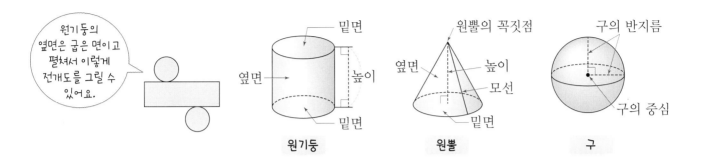

원기둥의 옆면은 굽은 면이고 펼쳐서 이렇게 전개도를 그릴 수 있어요.

원기둥   원뿔   구

확인 문제   한번 더

3-1 원기둥을 찾아 ○표 해 보세요.

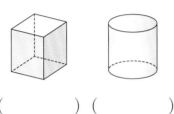

(   ) (   ) (   )

3-2 원뿔을 모두 찾아 ○표 해 보세요.

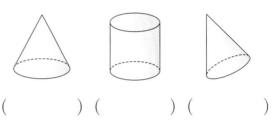

(   ) (   ) (   )

4-1 원기둥의 높이는 몇 cm인지 구해 보세요.

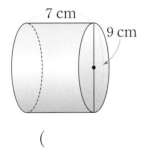

7 cm   9 cm

(   )

4-2 높이가 4 cm인 원기둥의 기호를 써 보세요.

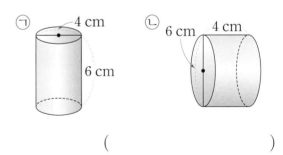

㉠ 4 cm   6 cm   ㉡ 6 cm   4 cm

(   )

5-1 다음 그림은 원뿔의 무엇을 재는 방법인지 보기 에서 찾아 써 보세요.

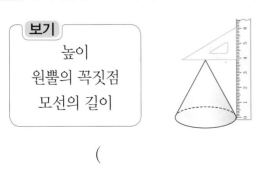

보기

높이
원뿔의 꼭짓점
모선의 길이

(   )

5-2 다음 그림은 원뿔의 무엇을 재는 방법인지 보기 에서 찾아 써 보세요.

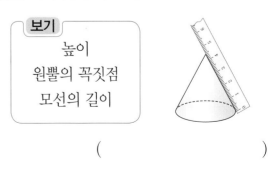

보기

높이
원뿔의 꼭짓점
모선의 길이

(   )

❶ 원 조각의 넓이

원 조각이 전체의 몇 분의 몇인지 알아봅니다. (원주율: 3)

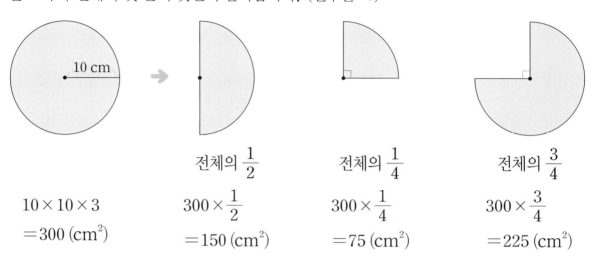

전체의 $\dfrac{1}{2}$ 　　　 전체의 $\dfrac{1}{4}$ 　　　 전체의 $\dfrac{3}{4}$

$10 \times 10 \times 3$
$= 300 \, (\text{cm}^2)$

$300 \times \dfrac{1}{2}$
$= 150 \, (\text{cm}^2)$

$300 \times \dfrac{1}{4}$
$= 75 \, (\text{cm}^2)$

$300 \times \dfrac{3}{4}$
$= 225 \, (\text{cm}^2)$

$$(\text{원 조각의 넓이}) = (\text{원의 넓이}) \times \dfrac{(\text{원 조각의 각도의 수})}{360}$$

활동 문제 색종이 꽃을 만들기 위한 원 조각들입니다. 원 조각의 넓이를 구하는 식을 찾아 이어 보세요.

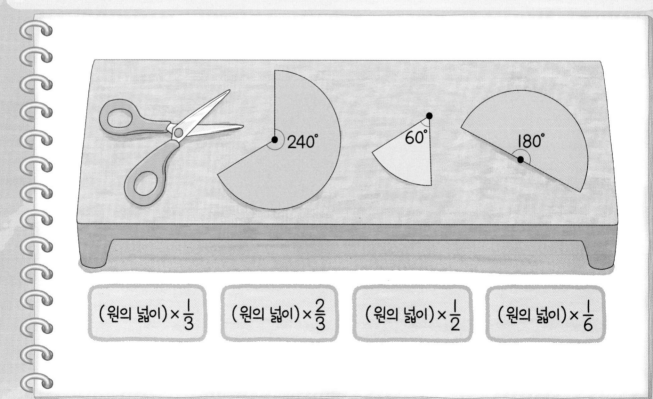

(원의 넓이) $\times \dfrac{1}{3}$ 　　 (원의 넓이) $\times \dfrac{2}{3}$ 　　 (원의 넓이) $\times \dfrac{1}{2}$ 　　 (원의 넓이) $\times \dfrac{1}{6}$

2 여러 가지 모양의 넓이

- 여러 조각으로 나눠서 구할 수 있습니다.

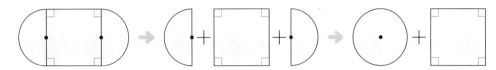

- 전체에서 부분을 빼서 구할 수 있습니다.

- 일부분을 옮겨서 구할 수 있습니다.

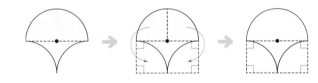

활동 문제 색칠한 부분의 넓이를 구하려고 합니다. 관계있는 것끼리 이어 보세요.

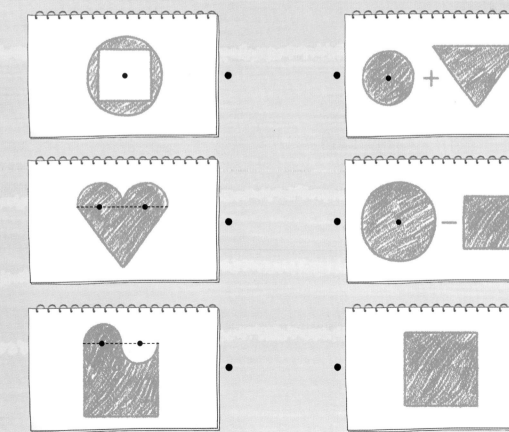

1-1 반원 모양의 땅에 원 모양의 분수대 주변을 모두 꽃밭으로 만들려고 합니다. 꽃밭이 되는 부분의 넓이는 몇 m²인지 구해 보세요. (원주율: 3)

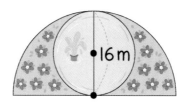

(   )

반원의 넓이에서 반원 안에 있는 원의 넓이를 빼서 구합니다.

1-2 색칠한 부분의 넓이는 몇 cm²인지 구해 보세요. (원주율: 3.1)

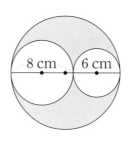

(1) 가장 큰 원의 넓이는 몇 cm²인지 구해 보세요.

(   )

(2) 중간 크기의 원의 넓이는 몇 cm²인지 구해 보세요.

(   )

(3) 가장 작은 원의 넓이는 몇 cm²인지 구해 보세요.

(   )

(4) 색칠한 부분의 넓이는 몇 cm²인지 구해 보세요.

(   )

2-1 반지름이 20 cm인 원 모양의 피자를 똑같이 8조각으로 나누고 그중 5조각을 먹었습니다. 남은 피자의 넓이는 몇 cm²인지 구해 보세요. (원주율: 3.1)

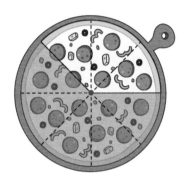

(   )

- 구하려는 것: 남은 피자의 넓이
- 주어진 조건: 반지름이 20 cm인 피자, 8조각 중 5조각을 먹음, 원주율
- 해결 전략: ❶ 피자 한 판의 넓이 구하기
  ❷ 먹고 남은 부분이 한 판의 얼마만큼인지 알아보기
  ❸ 남은 피자의 넓이 구하기

4주
1일

✎ 구하려는 것(﹏﹏)과 주어진 조건(────)에 표시해 봅니다.

2-2 반지름이 12 cm인 원 모양의 피자를 먹고 그림과 같이 남았습니다. 남은 피자의 넓이는 몇 cm² 인지 구해 보세요. (원주율: 3)

해결 전략

❶ 피자 한 판의 넓이 구하기
❷ 먹고 남은 부분이 한 판의 얼마만큼인지 알아보기
❸ 남은 피자의 넓이 구하기

(   )

1

문제 해결

가장 큰 원의 반지름은 30 cm이고, 반지름이 10 cm씩 작아지도록
과녁판을 만들었습니다. 물음에 답하세요. (원주율: 3.1)

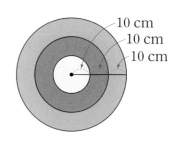

(1) 노란색 부분이 차지하는 넓이는 몇 cm²인지 구해 보세요.

(   )

(2) 빨간색 부분이 차지하는 넓이는 몇 cm²인지 구해 보세요.

(   )

(3) 파란색 부분이 차지하는 넓이는 몇 cm²인지 구해 보세요.

(   )

2

문제 해결

운동회에서 사용할 행운의 돌림판을 만들었습니다. 지름이 70 cm인 돌림판을 똑같이 14칸으
로 나누었을 때 꽝이 나오는 칸의 넓이는 모두 몇 cm²인지 구해 보세요. (원주율: 3)

(   )

▶정답 및 해설 28쪽

3

창의·융합

그림과 같은 모양의 400 m 트랙은 바깥쪽 라인을 따라 뛸수록 거리가 길어서 각 라인별 출발 지점을 다르게 하여 출발합니다. 선수들이 달리는 트랙 부분의 넓이는 모두 몇 m²인지 구해 보세요. (원주율: 3)

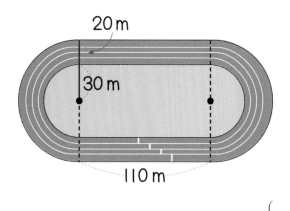

(   )

4주
1일

4

창의·융합

반지름이 9 cm인 원 모양의 셀로판지 5장으로 유리창을 꾸몄습니다. 노란색 셀로판지와 보라색 셀로판지가 겹친 부분의 넓이는 몇 cm²인지 구해 보세요. (원주율: 3)

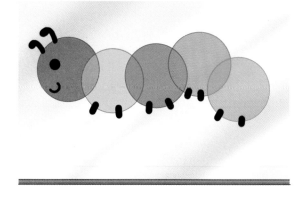

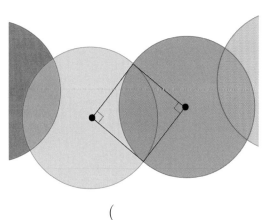

(   )

1 원주와 지름

원주를 알면 지름과 반지름을 차례로 구할 수 있고, 넓이도 구할 수 있습니다.

수영장의
둘레: 30 m
(원주율: 3)

원주	30 m	
지름	$30 \div 3 = 10$ (m)	(지름)=(원주)÷(원주율)
반지름	$10 \div 2 = 5$ (m)	(반지름)=(지름)÷2
원의 넓이	$5 \times 5 \times 3 = 75$ (m²)	(원의 넓이) =(반지름)×(반지름)×(원주율)

(원주)=(원의 지름)×(원주율) ➡ (원의 지름)=(원주)÷(원주율)

활동 문제 둘레가 18.6 m인 원 모양의 연못의 넓이를 구하려고 합니다. ☐ 안에 알맞은 수를 써넣으세요. (원주율: 3.1)

연못의 둘레 : 18.6 m

↓

연못의 지름: 18.6÷☐=☐ (m)

연못의 반지름: ☐÷2=☐ (m)

↓

연못의 넓이:

☐×☐×☐=☐ (m²)

2 원의 넓이와 반지름

원의 넓이를 알면 반지름과 지름을 차례로 구할 수 있고, 원주도 구할 수 있습니다.

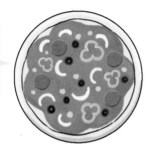

피자의 넓이
: 300 cm²
(원주율: 3)

원의 넓이	300 cm²	(반지름) × (반지름) = (원의 넓이) ÷ (원주율)
반지름	$300 \div 3 = 100$, $10 \times 10 = 100$ ➡ 10 cm	
지름	$10 \times 2 = 20$ (cm)	(지름) = (반지름) × 2
둘레	$20 \times 3 = 60$ (cm)	(원주) = (지름) × (원주율)

÷ 2 × (반지름)

(원주)	**(원의 넓이)**
(반지름) × 2 × (원주율)	(반지름) × (반지름) × (원주율)

÷ (반지름) × 2

활동 문제 넓이가 12.4 m²인 원 모양의 연못의 둘레를 구하려고 합니다. □ 안에 알맞은 수를 써넣으세요. (원주율: 3.1)

연못의 넓이: 12.4 m²

⬇

연못의 반지름: $12.4 \div 3.1 = \boxed{}$,

(반지름) = $\boxed{}$ m

연못의 지름: $\boxed{} \times 2 = \boxed{}$ (m)

⬇

연못의 둘레:

$\boxed{} \times \boxed{} = \boxed{}$ (m)

1-1 둘레가 24.8 m인 원 모양의 농장이 있습니다. 이 농장의 넓이는 몇 m²인지 구해 보세요.

(원주율: 3.1)

(   )

원의 둘레를 이용하여 원의 지름, 반지름, 넓이를 차례로 구합니다.

1-2 계란프라이 틀을 사용하여 원 모양의 계란프라이를 만들었습니다. 계란프라이 틀의 원주가 27 cm일 때 만든 계란프라이의 넓이는 몇 cm²인지 구해 보세요. (원주율: 3)

(1) 만든 계란프라이의 둘레는 몇 cm일까요?

(   )

(2) 만든 계란프라이의 반지름은 몇 cm인지 구해 보세요.

(   )

(3) 만든 계란프라이의 넓이는 몇 cm²인지 구해 보세요.

(   )

2-1 하수관을 수리하기 위해 맨홀 뚜껑을 굴려서 옮기고 있습니다. 맨홀 뚜껑의 넓이가 $4800 \, cm^2$ 이라면 이 맨홀 뚜껑을 한 바퀴 굴렸을 때 굴러간 거리는 몇 cm인지 구해 보세요. (원주율: 3)

(   )

- 구하려는 것: 맨홀 뚜껑을 한 바퀴 굴렸을 때 굴러간 거리
- 주어진 조건: 맨홀 뚜껑의 넓이, 원주율
- 해결 전략: ❶ 맨홀 뚜껑의 넓이를 이용하여 맨홀 뚜껑의 반지름, 지름 구하기
  ❷ 맨홀 뚜껑의 원주 구하기
  ❸ 맨홀 뚜껑을 한 바퀴 굴렸을 때 굴러간 거리 구하기

✎ 구하려는 것(﹏﹏)과 주어진 조건(────)에 표시해 봅니다.

2-2 얼음 낚시를 하기 위해 빙판에 원 모양의 구멍을 냈습니다. 구멍을 낸 원 모양 얼음판의 넓이가 $314 \, cm^2$일 때 얼음 구멍의 원주는 몇 cm인지 구해 보세요. (원주율: 3.14)

해결 전략

❶ 원 모양 얼음판의 넓이를 이용 하여 얼음판의 반지름, 지름 구하기

❷ 얼음판의 원주 구하기

❸ 얼음 구멍의 원주 구하기

(   )

1
창의 · 융합

안쪽의 둘레가 93 cm인 굴렁쇠가 있습니다. 다음 중 이 굴렁쇠를 통과할 수 없는 물건을 찾아 기호를 써 보세요. (원주율: 3.1)

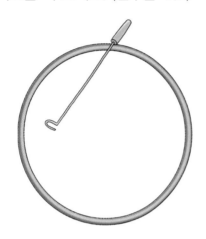

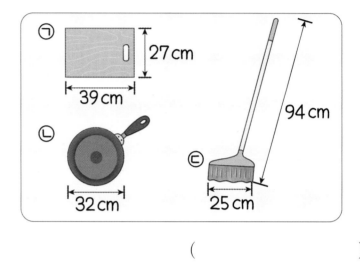

㉠ 27 cm
39 cm

㉡ 32 cm

㉢ 94 cm
25 cm

( )

2
문제 해결

넓이가 363 cm²인 원 모양의 호두파이를 넣을 수 있는 사각기둥 모양 상자를 만들려고 합니다. 사각기둥 모양 상자의 밑면의 한 변의 길이는 몇 cm 이상이어야 하는지 구해 보세요.

(원주율: 3)

( )

3 창의·융합 다음과 같이 원 모양의 케이크를 한 바퀴 두르는 데 사용한 리본의 길이는 54 cm입니다. 이 케이크를 담은 원 모양의 케이크 판에 대하여 바르게 말한 친구의 이름을 써 보세요. (단, 리본이 겹치는 길이는 생각하지 않고 원주율은 3입니다.)

케이크 판의 지름은 10 cm 이하일 거야. — 주은

넓이는 240 cm² 이하일 거야. — 석원

반지름이 9 cm 이상일 거야. — 희연

(   )

4 추론 길이가 62 cm인 철사를 사용하여 가장 큰 원 모양을 만들고, 그 원 모양을 종이에 본따서 그린 다음 안쪽을 모두 색칠했습니다. 색칠한 부분의 넓이는 몇 cm²인지 구해 보세요. (단, 철사의 두께는 생각하지 않고 원주율은 3.1입니다.)

(   )

1 각기둥, 원기둥, 각뿔, 원뿔 비교하기

입체도형	각기둥	원기둥	각뿔	원뿔
밑면의 모양	다각형	원	다각형	원
옆면의 모양	직사각형	굽은 면	삼각형	굽은 면
밑면의 수	2개	2개	1개	1개
옆면의 수	밑면에 따름	1개	밑면에 따름	1개
꼭짓점	있음	없음	있음	있음
모서리	있음	없음	있음	없음
전체 모양	각진 기둥 모양	둥근 기둥 모양	각진 뿔 모양	둥근 뿔 모양

활동 문제 입체도형 모양의 물건들을 모았습니다. 물건의 모양을 보고 분류해 보세요.

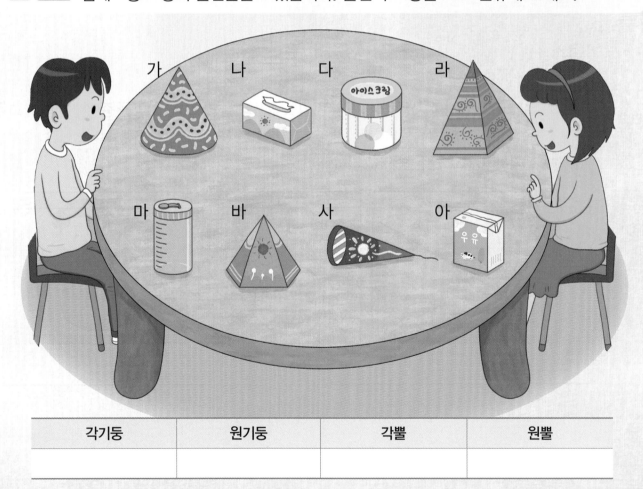

각기둥	원기둥	각뿔	원뿔

2 평면도형을 돌려 입체도형 만들기

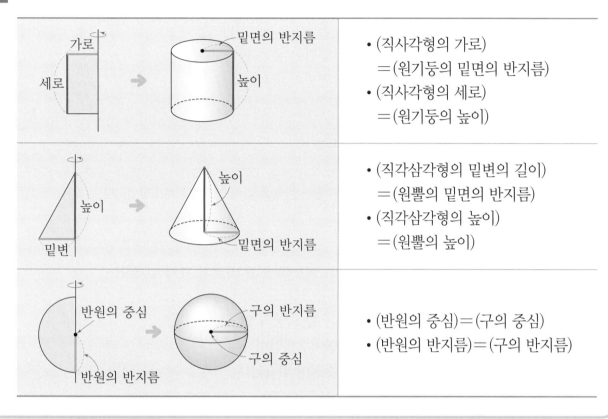

- (직사각형의 가로)
   = (원기둥의 밑면의 반지름)
- (직사각형의 세로)
   = (원기둥의 높이)

- (직각삼각형의 밑변의 길이)
   = (원뿔의 밑면의 반지름)
- (직각삼각형의 높이)
   = (원뿔의 높이)

- (반원의 중심) = (구의 중심)
- (반원의 반지름) = (구의 반지름)

활동 문제) 평면도형을 돌려서 만든 입체도형입니다. ☐ 안에 알맞은 수를 써넣으세요.

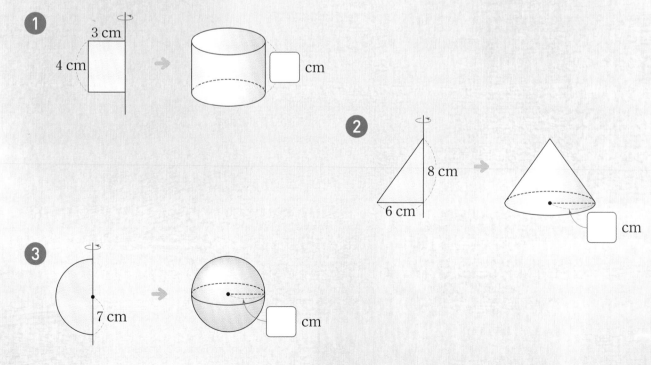

1-1 원기둥에 대한 설명 중 <u>잘못된</u> 것을 찾아 ☐ 안에 기호를 써넣고 바르게 고쳐 보세요.

> ㉠ 밑면이 2개입니다.
> ㉡ 옆면이 굽은 면입니다.
> ㉢ 밑면이 다각형입니다.

☐ **바르게 고치기** _____

원기둥은 위와 아래에 있는 면이 서로 평행하고 합동인 원으로 이루어진 입체도형입니다.

1-2 원뿔에 대한 설명 중 <u>잘못된</u> 것을 찾아 기호를 쓰고 바르게 고쳐 보세요.

> ㉠ 둥근 뿔 모양의 입체도형입니다.
> ㉡ 밑면이 2개입니다.
> ㉢ 꼭짓점이 있습니다.

(1) 원뿔에 대한 설명 중 잘못된 것을 찾아 기호를 써 보세요.　　(　　　　　　)

(2) (1)에서 찾은 것을 바르게 고쳐 보세요.

바르게 고치기 _____

1-3 다음 중 원뿔에는 있으나 원기둥에는 없는 것을 찾아 기호를 써 보세요.

> ㉠ 밑면　　　　㉡ 옆면　　　　㉢ 높이　　　　㉣ 모선

(1) 원뿔에 있는 것을 모두 찾아 기호를 써 보세요.　　　　(　　　　　　)

(2) 원기둥에 있는 것을 모두 찾아 기호를 써 보세요.　　　　(　　　　　　)

(3) 원뿔에는 있으나 원기둥에는 없는 것을 찾아 기호를 써 보세요.

(　　　　　　)

2-1 한 변을 기준으로 직사각형 모양의 종이를 한 바퀴 돌려 입체도형을 각각 만들었습니다. 만들어진 두 입체도형의 밑면의 반지름의 차는 몇 cm인지 구해 보세요.

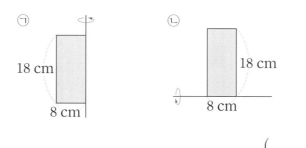

(   )

- **구하려는 것:** 만든 두 입체도형의 밑면의 반지름의 차
- **주어진 조건:** 한 변을 기준으로 직사각형 모양의 종이를 한 바퀴 돌려 입체도형을 각각 만듦
- **해결 전략:** ❶ ㉠과 ㉡을 돌려서 만든 입체도형을 알아봅니다.
  ❷ 각 입체도형의 밑면의 반지름을 알아본 후 차를 구합니다.

✎ 구하려는 것(∼∼)과 주어진 조건(——)에 표시해 봅니다.

2-2 한 변을 기준으로 직각삼각형 모양의 종이를 한 바퀴 돌려 입체도형을 각각 만들었습니다. 만들어진 두 입체도형의 높이의 차는 몇 cm인지 구해 보세요.

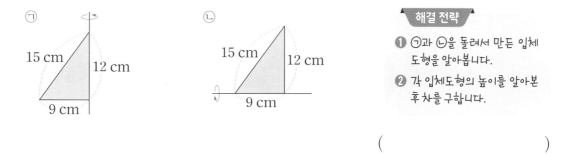

해결 전략

❶ ㉠과 ㉡을 돌려서 만든 입체도형을 알아봅니다.
❷ 각 입체도형의 높이를 알아본 후 차를 구합니다.

(   )

2-3 한 변을 기준으로 직사각형 모양과 직각삼각형 모양의 종이를 한 바퀴 돌려 입체도형을 각각 만들었습니다. 만들어진 두 입체도형의 밑면의 지름의 차는 몇 cm인지 구해 보세요.

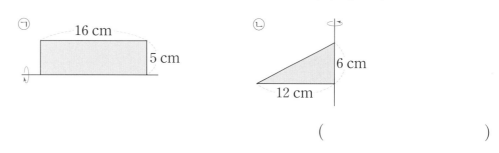

(   )

1

현철이는 건전지를 원기둥 모양과 각기둥 모양으로 분류하였습니다. 원기둥과 각기둥의 같은 점과 다른 점을 각각 한 개씩 써 보세요.

원기둥 모양	각기둥 모양

같은 점	
다른 점	

2

다음 명령어에 따라 더 이상 이동할 수 없을 때까지 움직였을 때 마지막에 있는 입체도형은 원기둥, 원뿔, 구 중에서 무엇일까요?

출발

원뿔이면 오른쪽으로 3칸,
구이면 아래쪽으로 2칸,
원기둥이면 왼쪽으로 1칸
이동합니다.

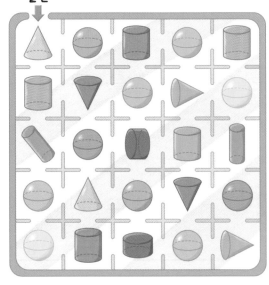

(   )

▶ 정답 및 해설 30쪽

3 문제 해결

개수가 많은 것부터 차례로 기호를 써 보세요.

> ㉠ 원기둥의 밑면의 개수 ㉡ 원뿔의 꼭짓점의 개수
> ㉢ 원기둥의 꼭짓점의 개수 ㉣ 원뿔의 모선의 개수

(   )

4 문제 해결

직각삼각형 모양의 종이를 한 변을 기준으로 돌려서 만든 입체도형입니다. 돌리기 전의 종이의 넓이는 몇 cm^2인지 구해 보세요.

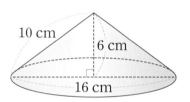

(   )

5 추론

가로와 세로의 길이가 다른 직사각형 모양의 종이를 세로를 기준으로 돌려서 만든 입체도형입니다. 이 직사각형 모양의 종이를 가로를 기준으로 돌리면 어떤 입체도형이 되는지 그려 보세요.

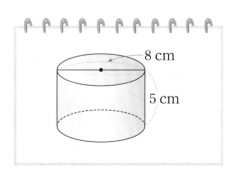

1 원기둥의 전개도에서 각 부분의 길이 구하기

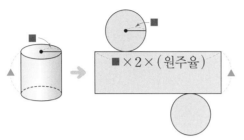

(옆면의 가로)＝(밑면의 둘레)
＝(반지름이 ■인 원의 원주)
＝■×2×(원주율)
(옆면의 세로)＝(원기둥의 높이)＝▲

활동 문제 　원기둥의 전개도에서 길이가 같은 선분을 알아보세요.

1 원기둥의 전개도에서 밑면의 둘레와 길이가 같은 선분을 모두 찾아 표시해 보세요.

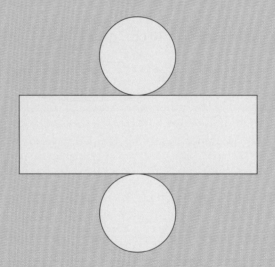

2 원기둥의 전개도에서 원기둥의 높이와 길이가 같은 선분을 모두 찾아 표시해 보세요.

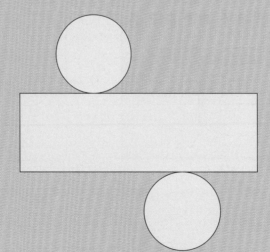

2 원기둥의 전개도의 넓이 활용

• 롤러를 굴려서 칠해지는 넓이 구하기

(롤러를 한 바퀴 굴렸을 때 칠해지는 넓이)
＝(롤러의 옆면의 넓이)
＝(밑면의 둘레)×(높이)

• 포장지의 넓이 구하기

[위에서 본 모양]

(포장지의 넓이)
＝(굽은 면 부분)＋(평평한 면 부분)
　　＝음료수 캔 1개의 옆면의 넓이

4주
4일

활동 문제 롤러를 굴려서 칠해진 넓이와 음료수 캔을 포장한 포장지의 넓이를 구해 보세요.

1 다음과 같이 원기둥 모양의 롤러에 페인트를 묻혀서 한 바퀴 굴렸습니다. ☐ 안에 알맞은 수를 써넣으세요. (원주율: 3)

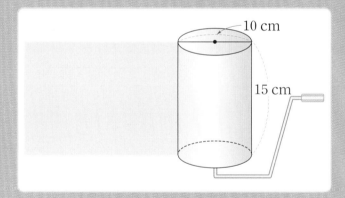

(롤러를 한 바퀴 굴렸을 때 칠해지는 넓이)
＝(밑면의 둘레)×(높이)
＝(☐×3)×15
＝☐×15
＝☐(cm²)

2 다음과 같이 원기둥 모양의 똑같은 음료수 캔 2개를 겹치는 부분이 없게 포장하였습니다. ☐ 안에 알맞은 수를 써넣으세요. (원주율: 3)

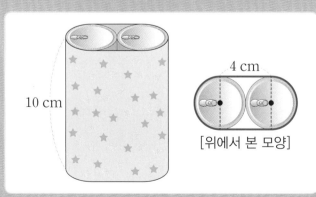

[위에서 본 모양]

(포장지의 넓이)
＝(굽은 면 부분)＋(평평한 면 부분)
＝(4×3×☐)＋(4×2×☐)
＝☐＋☐
＝☐(cm²)

1-1 오른쪽 원기둥의 전개도의 둘레는 몇 cm인지 구해 보세요.

(원주율: 3)

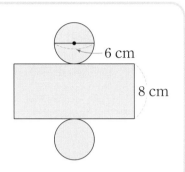

(   )

원기둥의 전개도의 둘레는 밑면의 둘레를 4번, 원기둥의 높이를 2번 더한 길이와 같습니다.

1-2 오른쪽 원기둥의 전개도의 둘레는 몇 cm인지 구해 보세요.

(원주율: 3.1)

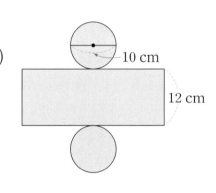

(1) 밑면의 둘레는 몇 cm인지 구해 보세요.

(   )

(2) 원기둥의 전개도의 둘레는 몇 cm인지 구해 보세요.

(   )

1-3 오른쪽 원기둥의 전개도의 둘레는 몇 cm인지 구해 보세요.

(원주율: 3.14)

밑면의 둘레는 [   ] × 3.14 = [   ] (cm)입니다.

따라서 원기둥의 전개도의 둘레는 [   ] × 4 + [   ] × 2 = [   ] (cm)입니다.

2-1 오른쪽과 같은 원기둥 모양의 롤러에 페인트를 묻혀 2바퀴 굴렸습니다. 페인트가 칠해진 부분의 넓이는 몇 cm²인지 구해 보세요.
(원주율: 3)

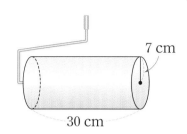

7 cm

30 cm

(   )

- 구하려는 것: 페인트가 칠해진 부분의 넓이
- 주어진 조건: 밑면의 반지름이 7 cm, 높이가 30 cm인 원기둥 모양의 롤러를 2바퀴 굴림
- 해결 전략: ❶ 원기둥 모양의 롤러의 옆면의 넓이를 구합니다.
  ❷ ❶에서 구한 옆면의 넓이와 롤러를 굴린 바퀴 수의 곱을 구합니다.

✎ 구하려는 것(〰)과 주어진 조건(──)에 표시해 봅니다.

2-2 다음과 같은 원기둥 모양의 롤러에 페인트를 묻혀 5바퀴 굴렸습니다. 페인트가 칠해진 부분의 넓이는 몇 cm²인지 구해 보세요. (원주율: 3.1)

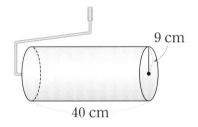

9 cm

40 cm

> **해결 전략**
> ❶ 원기둥 모양의 롤러의 옆면의 넓이를 구합니다.
> ❷ ❶에서 구한 옆면의 넓이와 롤러를 굴린 바퀴 수의 곱을 구합니다.

(   )

2-3 다음과 같이 원기둥 모양의 똑같은 음료수 캔 3개를 겹치는 부분이 없게 포장하였습니다. 포장지의 넓이는 몇 cm²인지 구해 보세요. (원주율: 3)

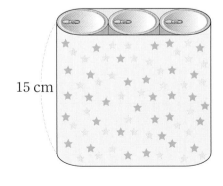

15 cm

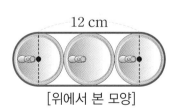

12 cm

[위에서 본 모양]

(   )

1 밑면의 반지름이 30 cm인 원기둥 모양의 가로수에 40 cm 높이의 해충포집기를 겹치지 않게
창의·융합 설치하려고 합니다. 가로수 한 그루에 설치하는 해충포집기의 넓이는 몇 cm²인지 구해 보세요.

(원주율: 3.14)

가로수 해충 제거할 해충포집기

볏짚을 엮어 만든 해충포집기는 나무에 기생하는 각종 해충들이 겨울잠을 자기 위해 따뜻한 곳으로 이동하는 특성을 역이용한 것입니다.

(   )

2 오른쪽과 같은 원기둥 모양의 롤러에 페인트를 묻혀 몇 바퀴 굴렸더니
문제 해결 페인트가 칠해진 부분의 넓이가 7440 cm²였습니다. 롤러를 적어도
몇 바퀴 굴린 것인지 구해 보세요. (원주율: 3.1)

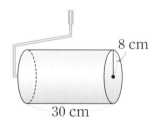

(   )

3 오른쪽 원기둥의 전개도에서 옆면의 넓이가 540 cm²일 때 전개도의 둘
추론 레는 몇 cm인지 구해 보세요. (원주율: 3)

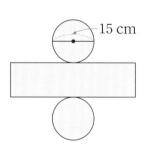

(   )

4
문제 해결

다음과 같이 원기둥 모양의 똑같은 음료수 캔 6개를 겹치는 부분이 없게 포장하였습니다. 포장 지의 넓이는 몇 cm²인지 구해 보세요. (원주율: 3.1)

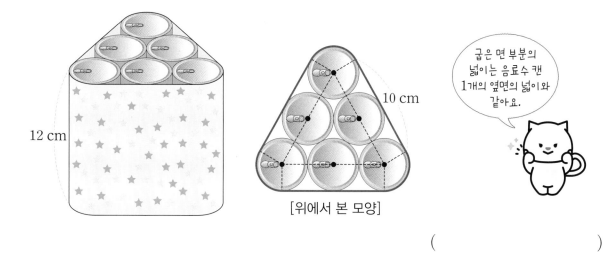

[위에서 본 모양]

굽은 면 부분의 넓이는 음료수 캔 1개의 옆면의 넓이와 같아요.

(   )

5
추론

밑면의 지름이 15 cm인 원기둥의 전개도를 그리고 오려 붙여 원기둥을 만들려고 합니다. 높이 가 최대한 높은 원기둥을 만들려면 종이 가와 나 중에서 어느 종이에 그려야 하는지 기호를 써 보세요. (원주율: 3)

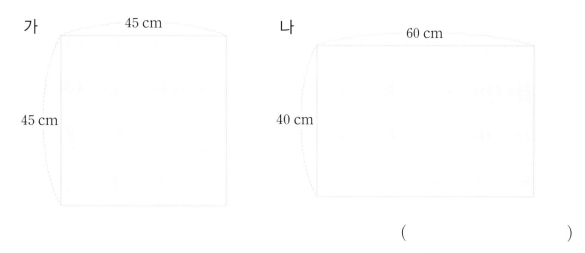

가   45 cm   나   60 cm

45 cm   40 cm

(   )

1 입체도형을 위, 앞, 옆에서 본 모양 알아보기

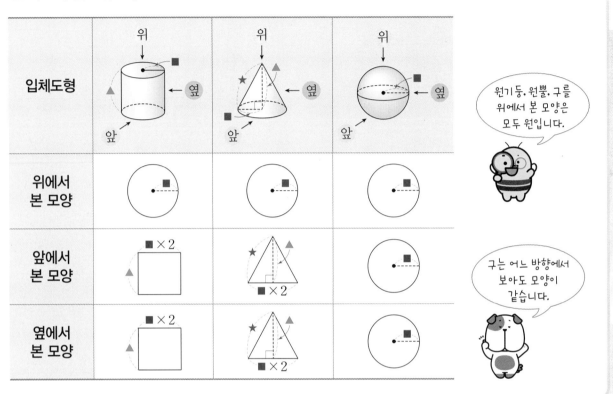

원기둥, 원뿔, 구를 위에서 본 모양은 모두 원입니다.

구는 어느 방향에서 보아도 모양이 같습니다.

활동 문제   설명에 알맞은 입체도형이 써 있는 붕어빵을 찾아 ☐ 안에 기호를 써넣으세요.

가   각기둥
나   원기둥
다   각뿔
라   원뿔
마   구

위, 앞, 옆에서 본 모양이 각각 원, 사각형, 사각형인

입체도형 ➡ ☐

위, 앞, 옆에서 본 모양이 각각 원, 삼각형, 삼각형인

입체도형 ➡ ☐

위, 앞, 옆에서 본 모양이 모두 원인 입체도형

➡ ☐

2 입체도형 자르기

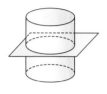 →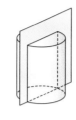
[잘린 면의 모양]

 →
[잘린 면의 모양]

 →
[잘린 면의 모양]

 →
[잘린 면의 모양]

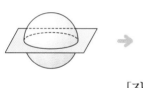 →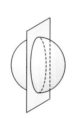
[잘린 면의 모양]

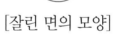 →
[잘린 면의 모양]

활동 문제 입체도형을 다음과 같이 잘랐을 때 얻을 수 있는 도형의 이름을 써 보세요.

1 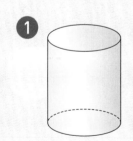 → 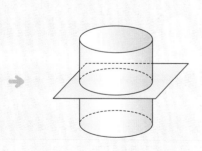 →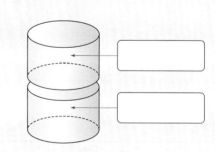

2 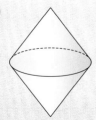 → 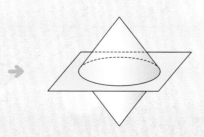 →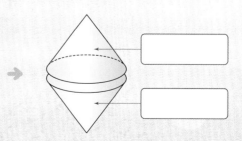

1-1 다음 원기둥을 옆에서 본 모양의 넓이는 몇 cm²인지 구해 보세요.

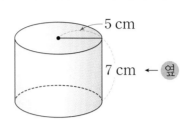

(   )

원기둥을 옆에서 본 모양은 직사각형입니다.

1-2 오른쪽 원뿔을 앞에서 본 모양의 넓이는 몇 cm²인지 구해 보세요.

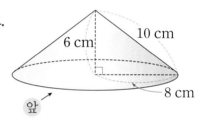

(1) 원뿔을 앞에서 본 모양에 ○표 하세요.

(직사각형 , 이등변삼각형 , 원)

(2) 원뿔을 앞에서 본 모양의 넓이는 몇 cm²인지 구해 보세요.

(   )

1-3 다음 구를 위에서 본 모양의 넓이는 몇 cm²인지 구해 보세요. (원주율: 3)

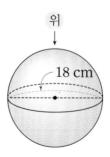

구를 위에서 본 모양은 반지름이 □ cm인 원입니다.

따라서 구를 위에서 본 모양의 넓이는 □ × □ × 3 = □ (cm²)입니다.

2-1 원뿔과 원뿔을 앞에서 본 모양입니다. ㉠과 ㉡에 알맞은 각도는 각각 몇 도인지 구해 보세요.

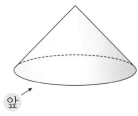

앞에서 본 모양

㉠ (   ), ㉡ (   )

- 구하려는 것: ㉠과 ㉡에 알맞은 각도
- 주어진 조건: 원뿔을 앞에서 본 모양, 삼각형의 한 각의 크기
- 해결 전략: ❶ 삼각형의 세 각의 크기의 합을 이용하여 ㉠＋㉡의 값을 구합니다.
  ❷ 원뿔을 앞에서 본 모양이 어떤 삼각형인지를 이용하여 ㉠과 ㉡에 알맞은 각도를 구합니다.

✎ 구하려는 것(~~~)과 주어진 조건(———)에 표시해 봅니다.

2-2 원뿔과 원뿔을 앞에서 본 모양입니다. ㉠과 ㉡에 알맞은 각도는 각각 몇 도인지 구해 보세요.

40°

앞에서 본 모양

해결 전략

❶ 삼각형의 세 각의 크기의 합을 이용하여 ㉠＋㉡의 값을 구합니다.

❷ 원뿔을 앞에서 본 모양이 어떤 삼각형인지를 이용하여 ㉠과 ㉡에 알맞은 각도를 구합니다.

㉠ (   ), ㉡ (   )

2-3 원뿔과 원뿔을 앞에서 본 모양입니다. 삼각형의 세 변의 길이의 합은 몇 cm인지 구해 보세요.

3 cm 60°

앞에서 본 모양

(   )

1 민준이가 본 원뿔의 모선의 길이와 높이의 합은 몇 cm인지 구해 보세요.

문제 해결

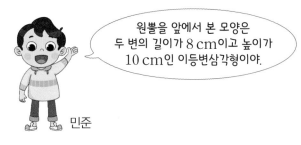

원뿔을 앞에서 본 모양은
두 변의 길이가 8 cm이고 높이가
10 cm인 이등변삼각형이야.

민준

(   )

2 지름이 40 cm인 구 모양의 수박을 잘랐을 때 생기는 가장 큰 단면의 넓이는 몇 cm^2인지 구해 보세요. (원주율: 3.14)

창의 · 융합

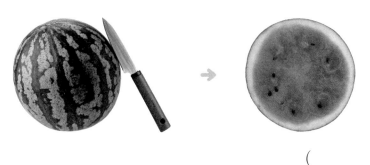

(   )

3 원기둥을 다음과 같이 반으로 잘랐습니다. 자른 도형을 앞에서 본 모양이 삼각형일 때 앞에서 본 모양의 넓이는 몇 cm^2인지 구해 보세요.

문제 해결

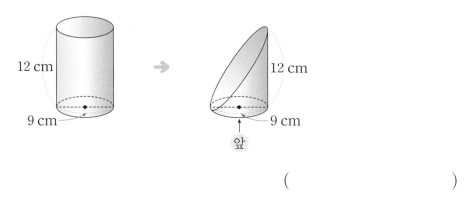

12 cm   12 cm

9 cm   9 cm

앞

(   )

▶ 정답 및 해설 33쪽

개미가 원뿔의 밑면의 한 점에서 출발하여 모선을 따라 원뿔의 꼭짓점까지 올라갔다가 다시 모선을 따라 밑면의 한 점으로 내려왔습니다. 개미가 움직인 거리는 몇 cm인지 구해 보세요.

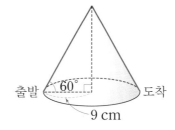

(   )

4주
5일

근우는 원기둥과 원뿔을 이용하여 집 모양을 만들었습니다. 근우가 만든 집 모양을 앞에서 본 모양의 넓이는 몇 cm²인지 구해 보세요.

(   )

1 담을 쌓고 있습니다. 담의 흰색 부분에는 표지판에 쓰여진 설명에 해당하는 벽돌을 찾아서 끼워 넣어야 합니다. 표지판을 보고 담의 흰색 부분에 알맞은 말을 써넣으세요. 창의·융합

- 표 지 판 -

❶ 평평한 면이 원이고 옆을 둘러싼 면이 굽은 면인 뿔 모양의 입체도형

❷ 원뿔에서 원뿔의 꼭짓점과 밑면인 원의 둘레의 한 점을 이은 선분

❸ 위와 아래에 있는 면이 서로 평행하고 합동인 원으로 이루어진 기둥 모양의 입체도형

❹ 반원 모양의 종이를 지름을 기준으로 돌려서 얻는 입체도형

원기둥   원뿔   모선   구

2 마라톤 선수들 사이에 범인 2명이 숨어 있습니다. 범인을 모두 찾아 ○표 하세요. 창의·융합

탐정이 단서를 가지고 범인을 찾고 있어요.
범인은 다음 단서에 해당하는 값을 가슴에 붙이고 있어요.

단서
범인 ❶: 지름이 9 cm인 원의 원주 (원주율: 3.14)
범인 ❷: 반지름이 5 cm인 원의 넓이 (원주율: 3.14)

3 민준이가 원기둥, 원뿔, 구 중에서 한 가지를 생각하면 세인이가 어떤 입체도형인지 알아맞히려고 합니다. 민준이가 생각한 입체도형은 무엇일까요? [문제 해결]

(　　　　　　　　　　　)

4 수를 입력하면 그 수를 반지름으로 하는 원이 그려지고 원의 넓이가 나오는 프로그램이 있습니다. 이 프로그램의 코드를 완성해 보세요. (원주율: 3.14) [코딩]

▶정답 및 해설 33쪽

5 원기둥에 그림과 같이 점 ㄱ에서 점 ㄴ까지 일정한 각도를 유지하면서 선을 그었습니다. 원기둥의 전개도에 선이 지나간 자리를 그려 보세요. (단, 선분 ㄱㄴ은 원기둥의 높이입니다.) 추론

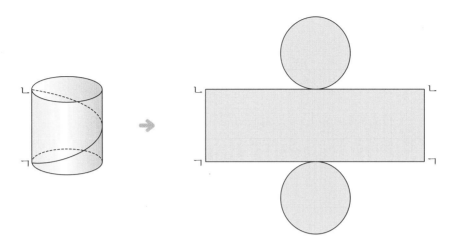

6 상혁이는 부채를 보고 다음과 같이 원의 일부분을 그렸습니다. 상혁이가 그린 도형의 넓이는 몇 cm² 인지 구해 보세요. (원주율: 3) 문제 해결

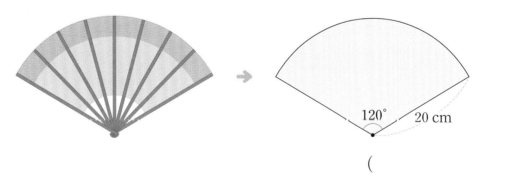

( )

4주
특강

7 방패연은 방패 모양으로 만든 연입니다. 지훈이는 방패연의 아래쪽 반원 무늬를 빨간색, 파란색, 노란색으로 칠했습니다. 노란색으로 칠한 부분의 넓이는 몇 cm²인지 구해 보세요. (원주율: 3.1) 창의·융합

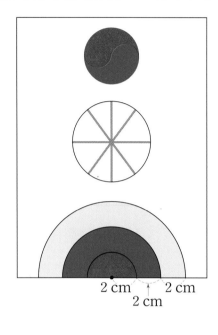

(   )

8 빨간색 철사와 파란색 철사를 사용하여 다음과 같은 원뿔 모양을 만들었습니다. 사용한 빨간색 철사의 길이가 144 cm일 때 사용한 파란색 철사의 길이는 몇 cm인지 구해 보세요. (단, 철사를 이은 부분의 길이는 생각하지 않습니다.) (원주율: 3.14) 문제 해결

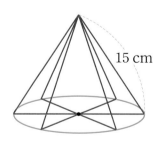

(   )

9 다음은 '파르테논 신전 모형 만들기 설명서'입니다. 파르테논 신전 모형에서 원기둥 모양의 기둥 하나의 옆면의 넓이는 몇 cm²인지 구해 보세요. (원주율: 3) 창의·융합

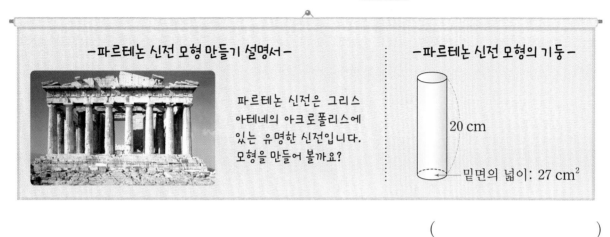

( )

4주
특강

10 한 변의 길이가 2 cm인 정사각형의 둘레에 원의 $\frac{1}{4}$인 모양을 붙여서 만든 것입니다. 색칠한 부분의 넓이는 모두 몇 cm²인지 구해 보세요. (원주율: 3) 추론

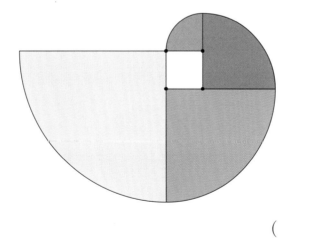

( )

1 한 변을 기준으로 직사각형 모양의 종이를 한 바퀴 돌려 입체도형을 각각 만들었습니다. 만들어진 두 입체도형의 밑면의 반지름의 차는 몇 cm인지 구해 보세요.

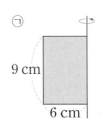
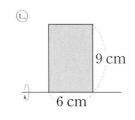

( )

2 오른쪽 원기둥의 전개도의 둘레는 몇 cm인지 구해 보세요.
(원주율: 3)

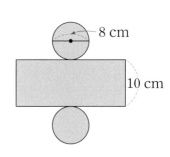

( )

3 다음 구를 옆에서 본 모양의 넓이는 몇 cm²인지 구해 보세요. (원주율: 3)

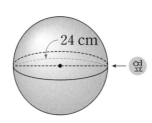

( )

4 원주가 54 cm인 원의 넓이는 몇 cm²인지 구해 보세요. (원주율: 3)

( )

5 넓이가 192 cm²인 원의 원주는 몇 cm인지 구해 보세요. (원주율: 3)

( )

6 원뿔과 원뿔을 앞에서 본 모양입니다. ㉠과 ㉡에 알맞은 각도는 각각 몇 도인지 구해 보세요.

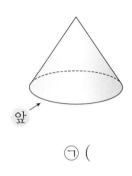

앞에서 본 모양

㉠ ( ), ㉡ ( )

7 오른쪽과 같은 원기둥 모양의 롤러에 페인트를 묻혀 2바퀴 굴렸습니다. 페인트가 칠해진 부분의 넓이는 몇 cm²인지 구해 보세요.

(원주율: 3)

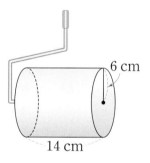

6 cm

14 cm

( )

8 색칠한 부분의 넓이는 몇 cm²인지 구해 보세요. (원주율: 3)

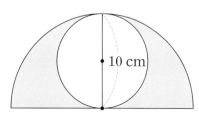

10 cm

( )

memo

초등 수학 기초 학습 능력 강화 교재

2021 신간

하루하루 쌓이는 수학 자신감!

똑똑한 하루

수학 시리즈

초등 수학 첫 걸음

수학 공부, 절대 지루하면 안 되니까~
하루 10분 학습 커리큘럼으로
쉽고 재미있게 수학과 친해지기!

학습 영양 밸런스

〈수학〉은 물론 〈계산〉, 〈도형〉, 〈사고력〉편까지
초등 수학 전 영역을 커버하는 맞춤형 교재로
편식은 NO! 완벽한 수학 영양 밸런스!

창의·사고력 확장

초등학생에게 꼭 필요한 수학 지식과
창의·융합·사고력 확장을 위한
재미있는 문제 구성으로 힘찬 워밍업!

우리 아이 공부습관 프로젝트! 초1~초6

하루 수학 (총 6단계, 12권)

하루 계산 (총 6단계, 12권)

하루 도형 (총 6단계, 6권)

하루 사고력 (총 6단계, 12권)

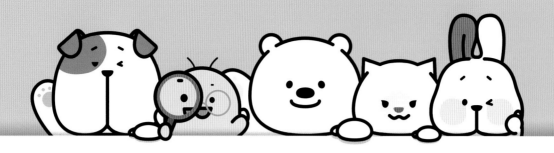

✖ 쉽다!

10분이면 하루치 공부를 마칠 수 있는 커리큘럼으로,
아이들이 초등 학습에 쉽고 재미있게 접근할 수 있도록 구성하였습니다.

🧩 재미있다!

교과서는 물론 생활 속에서 쉽게 접할 수 있는 다양한 소재와
재미있는 게임 형식의 문제로 흥미로운 학습이 가능합니다.

📖 똑똑하다!

초등학생에게 꼭 필요한 학습 지식 습득은 물론
창의력 확장까지 가능한 교재로 올바른 공부습관을 가지는 데 도움을 줍니다.

정답 및 해설

똑똑한
하루
사고력

초등
수학 **6B**
6학년 수준

천재교육

정답 및 해설
포인트 3가지

▶ 한눈에 알아볼 수 있는 정답 제시

▶ 혼자서도 이해할 수 있는 문제 풀이

▶ 꼭 필요한 사고력 유형 풀이 제시

똑 똑 한

하루
사고력

창의·융합·서술·코딩

정답 및 해설

초등
수학 **6B**
6학년 수준

1주

1주에는 무엇을 공부할까? ②   **6**쪽~**7**쪽

1-1 (1) $\dfrac{5}{3}$, $\dfrac{40}{27}$, $1\dfrac{13}{27}$ (2) 4, 5, 4, $\dfrac{2}{5}$, $\dfrac{8}{15}$

1-2 (1) $\dfrac{7}{3}$, $\dfrac{35}{18}$, $1\dfrac{17}{18}$ (2) 12, 7, 12, 7, $\dfrac{48}{35}$, $1\dfrac{13}{35}$

2-1 (1) $\dfrac{15}{16}$ (2) $1\dfrac{19}{30}$ **2-2** (1) $\dfrac{5}{6}$ (2) $1\dfrac{1}{2}$

3-1 $7.8 \div 0.6 = \dfrac{78}{10} \div \dfrac{6}{10} = 78 \div 6 = 13$

3-2 $8.51 \div 0.37 = \dfrac{851}{100} \div \dfrac{37}{100} = 851 \div 37 = 23$

4-1 (1) 7   (2) 22   (3) 3.4   (4) 2.5

4-2 (1) 12   (2) 27   (3) 2.9   (4) 48

2-1 (1) $\dfrac{3}{8} \div \dfrac{2}{5} = \dfrac{3}{8} \times \dfrac{5}{2} = \dfrac{15}{16}$

(2) $5\dfrac{5}{6} \div 3\dfrac{4}{7} = \dfrac{35}{6} \div \dfrac{25}{7} = \dfrac{\overset{7}{35}}{6} \times \dfrac{7}{\underset{5}{25}}$

$\phantom{(2) 5\dfrac{5}{6} \div 3\dfrac{4}{7}} = \dfrac{49}{30} = 1\dfrac{19}{30}$

2-2 (1) $\dfrac{5}{9} \div \dfrac{2}{3} = \dfrac{5}{\underset{3}{9}} \times \dfrac{\overset{1}{3}}{2} = \dfrac{5}{6}$

(2) $2\dfrac{1}{4} \div 1\dfrac{1}{2} = \dfrac{9}{4} \div \dfrac{3}{2} = \dfrac{\overset{3}{9}}{\underset{2}{4}} \times \dfrac{\overset{1}{2}}{\underset{1}{3}} = \dfrac{3}{2} = 1\dfrac{1}{2}$

3-1 소수 한 자리 수를 분모가 10인 분수로 바꾸어 계산합니다.

3-2 소수 두 자리 수를 분모가 100인 분수로 바꾸어 계산합니다.

4-1 (1)
$$1.2\,\overline{)\,8.4}$$
몫 7, 84, 0

(2)
$$3.52\,\overline{)\,77.44}$$
몫 22, 704, 704, 704, 0

(3)
$$2.6\,\overline{)\,8.84}$$
몫 3.4, 78, 104, 104, 0

(4)
$$3.6\,\overline{)\,9.0}$$
몫 2.5, 72, 180, 180, 0

4-2 (3)
$$4.8\,\overline{)\,13.92}$$
몫 2.9, 96, 432, 432, 0

(4)
$$0.25\,\overline{)\,12.00}$$
몫 48, 100, 200, 200, 0

1일 개념·원리 길잡이   **8**쪽~**9**쪽

활동 문제 8쪽

❶ $\left(\dfrac{2}{3} + \dfrac{1}{4}\right) \div \dfrac{2}{3}$에 ○표

❷ $\left(1\dfrac{3}{4} - \dfrac{2}{3}\right) \div \dfrac{2}{3}$에 ○표

활동 문제 9쪽

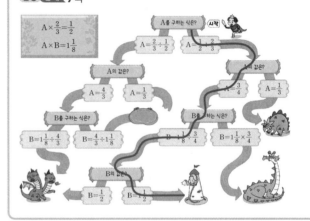

활동 문제 8쪽

❶ ♠ 앞에 있는 수

$$\dfrac{2}{3} \,♠\, \dfrac{1}{4} = \left(\dfrac{2}{3} + \dfrac{1}{4}\right) \div \dfrac{2}{3}$$

♠ 뒤에 있는 수

❷ ♥ 앞에 있는 수

$$1\dfrac{3}{4} \,♥\, \dfrac{2}{3} = \left(1\dfrac{3}{4} - \dfrac{2}{3}\right) \div \dfrac{2}{3}$$

♥ 뒤에 있는 수

활동 문제 9쪽

$$A \times \dfrac{2}{3} = \dfrac{1}{2}$$

$$\Rightarrow A = \dfrac{1}{2} \div \dfrac{2}{3} = \dfrac{1}{2} \times \dfrac{3}{2} = \dfrac{3}{4}$$

$$A \times B = 1\dfrac{1}{8},\ \dfrac{3}{4} \times B = 1\dfrac{1}{8}$$

$$\Rightarrow B = 1\dfrac{1}{8} \div \dfrac{3}{4} = \dfrac{\overset{3}{9}}{\underset{2}{8}} \times \dfrac{\overset{1}{4}}{\underset{1}{3}} = \dfrac{3}{2} = 1\dfrac{1}{2}$$

1-1 $1\frac{1}{8}$ **1**-2 (1) $4\frac{1}{2}$, $1\frac{4}{5}$, $4\frac{1}{2}$ (2) $\frac{3}{5}$

1-3 3 **2**-1 $\frac{7}{8}$, $\frac{5}{8}$

2-2 주어진 식을 보고 A와 B에 알맞은 수를 각각 구해 보세요.

$$\frac{3}{8} \times A = 1\frac{1}{2}, \qquad B \times \frac{3}{4} = A$$

4, $5\frac{1}{3}$

2-3 $3\frac{3}{5}$

1-1 $\frac{3}{4} \spadesuit \frac{1}{3} = \frac{3}{4} \div \left(\frac{1}{3} + \frac{1}{3}\right) = \frac{3}{4} \div \frac{2}{3}$

$= \frac{3}{4} \times \frac{3}{2} = \frac{9}{8} = 1\frac{1}{8}$

1-2 $4\frac{1}{2} \clubsuit 1\frac{4}{5} = \left(4\frac{1}{2} - 1\frac{4}{5}\right) \div 4\frac{1}{2}$

$= 2\frac{7}{10} \div 4\frac{1}{2} = \frac{\overset{3}{\cancel{27}}}{\underset{5}{\cancel{10}}} \times \frac{\overset{1}{\cancel{2}}}{\underset{1}{\cancel{9}}} = \frac{3}{5}$

1-3 $2\frac{2}{3} \blacklozenge 1\frac{1}{3} = \left(2\frac{2}{3} + 1\frac{1}{3}\right) \div \left(2\frac{2}{3} - 1\frac{1}{3}\right)$

$= 4 \div 1\frac{1}{3} = \overset{1}{\cancel{4}} \times \frac{3}{\underset{1}{\cancel{4}}} = 3$

2-1 $A \times \frac{2}{3} = \frac{7}{12}$ ➡ $A = \frac{7}{12} \div \frac{2}{3} = \frac{7}{\underset{4}{\cancel{12}}} \times \frac{\overset{1}{\cancel{3}}}{2} = \frac{7}{8}$

$A \div B = 1\frac{2}{5}$, $\frac{7}{8} \div B = 1\frac{2}{5}$

➡ $B = \frac{7}{8} \div 1\frac{2}{5} = \frac{7}{8} \div \frac{7}{5} = \frac{\overset{1}{\cancel{7}}}{8} \times \frac{5}{\underset{1}{\cancel{7}}} = \frac{5}{8}$

2-2 $\frac{3}{8} \times A = 1\frac{1}{2}$ ➡ $A = 1\frac{1}{2} \div \frac{3}{8} = \frac{\overset{1}{\cancel{3}}}{2} \times \frac{\overset{4}{\cancel{8}}}{\underset{1}{\cancel{3}}} = 4$

$B \times \frac{3}{4} = A$, $B \times \frac{3}{4} = 4$

➡ $B = 4 \div \frac{3}{4} = 4 \times \frac{4}{3} = \frac{16}{3} = 5\frac{1}{3}$

2-3 $A \times \frac{7}{9} = 2\frac{1}{3}$ ➡ $A = 2\frac{1}{3} \div \frac{7}{9} = \frac{\overset{1}{\cancel{7}}}{3} \times \frac{\overset{3}{\cancel{9}}}{\underset{1}{\cancel{7}}} = 3$

$A \div B = \frac{5}{6}$, $3 \div B = \frac{5}{6}$

➡ $B = 3 \div \frac{5}{6} = 3 \times \frac{6}{5} = \frac{18}{5} = 3\frac{3}{5}$

1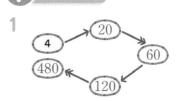

2 (1) $2\frac{4}{15}$ (2) $2\frac{1}{2}$ **3** $2\frac{1}{2}$, $2\frac{4}{5}$

4 $47\frac{1}{4}$ **5** (1) $\frac{2}{3}$ (2) $2\frac{2}{7}$

1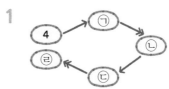

㉠ $4 \div \frac{1}{5} = 4 \times 5 = 20$, ㉡ $20 \div \frac{1}{3} = 20 \times 3 = 60$

㉢ $60 \div \frac{1}{2} = 60 \times 2 = 120$

㉣ $120 \div \frac{1}{4} = 120 \times 4 = 480$

2 (1) $\frac{2}{3} \clubsuit \frac{2}{5} = \frac{2}{3} \div \frac{2}{5} + \frac{2}{5} \div \frac{2}{3} = \frac{5}{3} + \frac{3}{5} = 2\frac{4}{15}$

(2) $1\frac{1}{4} \clubsuit 2\frac{1}{2} = 1\frac{1}{4} \div 2\frac{1}{2} + 2\frac{1}{2} \div 1\frac{1}{4}$

$= \frac{1}{2} + 2 = 2\frac{1}{2}$

3 🍪$\times 1\frac{1}{2} = 3\frac{3}{4}$ ➡ 🍪$= 3\frac{3}{4} \div 1\frac{1}{2} = 2\frac{1}{2}$

🍪$\times$🍪$= 7$, 🍪$\times 2\frac{1}{2} = 7$ ➡ 🍪$= 7 \div 2\frac{1}{2} = 2\frac{4}{5}$

4 $14 \div \frac{2}{3} = \overset{7}{\cancel{14}} \times \frac{3}{\underset{1}{\cancel{2}}} = 21$

➡ 21은 40보다 크지 않으므로 다시 $\frac{2}{3}$로 나눕니다.

$21 \div \frac{2}{3} = 21 \times \frac{3}{2} = \frac{63}{2} = 31\frac{1}{2}$

➡ $31\frac{1}{2}$은 40보다 크지 않으므로 다시 $\frac{2}{3}$로 나눕니다.

$31\frac{1}{2} \div \frac{2}{3} = \frac{63}{2} \times \frac{3}{2} = \frac{189}{4} = 47\frac{1}{4}$

➡ $47\frac{1}{4}$은 40보다 크므로 인쇄합니다.

5 (1) $\dfrac{\frac{4}{9}}{\frac{2}{3}} = \frac{4}{9} \div \frac{2}{3} = \frac{2}{3}$ (2) $\dfrac{\frac{6}{7}}{\frac{3}{8}} = \frac{6}{7} \div \frac{3}{8} = 2\frac{2}{7}$

2일 개념·원리 길잡이　14쪽~15쪽

활동 문제 14쪽

❶ $\dfrac{1}{3}$, $85\dfrac{3}{4}$　　　❷ $22\dfrac{7}{8}$, $\dfrac{3}{4}$, $30\dfrac{1}{2}$

활동 문제 15쪽

$1\dfrac{7}{20}$, $2\dfrac{1}{4}$ / $2\dfrac{1}{4}$, $3\dfrac{3}{4}$

활동 문제 14쪽

❶ (전체 거리)=(달린 거리)÷(달린 거리의 비율)

$$=28\dfrac{7}{12}\div\dfrac{1}{3}=\dfrac{\overset{1}{343}}{\underset{4}{12}}\times\overset{1}{3}=85\dfrac{3}{4}\,(\text{km})$$

❷ (전체 거리)=(남은 거리)÷(남은 거리의 비율)

$$=22\dfrac{7}{8}\div\dfrac{3}{4}=\dfrac{\overset{61}{183}}{\underset{2}{8}}\times\dfrac{\overset{1}{4}}{\underset{1}{3}}=30\dfrac{1}{2}\,(\text{km})$$

활동 문제 15쪽

$$1\dfrac{7}{20}\div\dfrac{3}{5}=\dfrac{\overset{9}{27}}{\underset{4}{20}}\times\dfrac{\overset{1}{5}}{\underset{1}{3}}=\dfrac{9}{4}=2\dfrac{1}{4}\,(\text{m})$$

$$2\dfrac{1}{4}\div\dfrac{3}{5}=\dfrac{9}{4}\times\dfrac{5}{\underset{1}{3}}=\dfrac{15}{4}=3\dfrac{3}{4}\,(\text{m})$$

2일 서술형 길잡이　독해력 길잡이　16쪽~17쪽

1-1 184쪽　　　　**1**-2 (1) $\dfrac{3}{5}$　(2) 25000원

1-3 3, 3, $\dfrac{20}{3}$, 160　　**2**-1 $4\dfrac{4}{5}$ m

2-2

> 떨어진 높이의 $\dfrac{3}{4}$만큼 튀어 오르는 공이 있습니다. 이 공이 두 번째로 튀어 오른 높이가 $2\dfrac{1}{4}$ m 일 때, 처음 공을 떨어뜨린 높이는 몇 m인지 구해 보세요.

4 m

2-3 $8\dfrac{3}{4}$ m

1-1 위인전을 읽고 남은 부분은 전체의 $1-\dfrac{3}{8}=\dfrac{5}{8}$입니다.

➡ (전체 쪽수)$=115\div\dfrac{5}{8}=\overset{23}{115}\times\dfrac{8}{\underset{1}{5}}=184$(쪽)

1-2 (1) $1-\dfrac{2}{5}=\dfrac{3}{5}$

(2) $15000\div\dfrac{3}{5}=\overset{5000}{15000}\times\dfrac{5}{\underset{1}{3}}=25000$(원)

1-3 15 %를 분수로 나타내면 $\dfrac{15}{100}=\dfrac{3}{20}$입니다.

2-1 (공이 첫 번째로 튀어 오른 높이)$=1\dfrac{7}{8}\div\dfrac{5}{8}=3\,(\text{m})$

(처음 공을 떨어뜨린 높이)$=3\div\dfrac{5}{8}=4\dfrac{4}{5}\,(\text{m})$

2-2 (공이 첫 번째로 튀어 오른 높이)$=2\dfrac{1}{4}\div\dfrac{3}{4}=3\,(\text{m})$

(처음 공을 떨어뜨린 높이)$=3\div\dfrac{3}{4}=4\,(\text{m})$

2-3 (공이 두 번째로 튀어 오른 높이)$=\dfrac{14}{25}\div\dfrac{2}{5}=\dfrac{7}{5}\,(\text{m})$

(공이 첫 번째로 튀어 오른 높이)$=\dfrac{7}{5}\div\dfrac{2}{5}=\dfrac{7}{2}\,(\text{m})$

(처음 공을 떨어뜨린 높이)$=\dfrac{7}{2}\div\dfrac{2}{5}=8\dfrac{3}{4}\,(\text{m})$

2일 사고력·코딩　18쪽~19쪽

1 $1\dfrac{1}{4}$ kg　　**2** (1) $1\dfrac{3}{5}$ m　(2) $2\dfrac{4}{5}$ m　(3) $1\dfrac{1}{5}$ m

3 (1) $\dfrac{1}{10}$　(2) $\dfrac{3}{20}$　(3) 250 km　　**4** $11\dfrac{83}{135}$ m

---

1 색칠한 부분은 전체의 $\dfrac{5}{8}$입니다.

➡ (전체의 무게)
$=$(색칠한 부분의 무게)÷(색칠한 부분의 비율)

$$=\dfrac{25}{32}\div\dfrac{5}{8}=\dfrac{\overset{5}{25}}{\underset{4}{32}}\times\dfrac{\overset{1}{8}}{\underset{1}{5}}=\dfrac{5}{4}=1\dfrac{1}{4}\,(\text{kg})$$

2 (1) $\dfrac{32}{35}\div\dfrac{4}{7}=1\dfrac{3}{5}\,(\text{m})$　(2) $1\dfrac{3}{5}\div\dfrac{4}{7}=2\dfrac{4}{5}\,(\text{m})$

(3) $2\dfrac{4}{5}-1\dfrac{3}{5}=1\dfrac{1}{5}\,(\text{m})$

3 (1) 기차를 타고 난 나머지의 $\dfrac{2}{5}$이므로

$$\left(1-\dfrac{3}{4}\right)\times\dfrac{2}{5}=\dfrac{1}{\underset{2}{4}}\times\dfrac{\overset{1}{2}}{5}=\dfrac{1}{10}\text{입니다.}$$

(2) 기차를 타고 난 나머지의 $\left(1-\dfrac{2}{5}\right)$이므로

$$\left(1-\dfrac{3}{4}\right)\times\left(1-\dfrac{2}{5}\right)=\dfrac{1}{4}\times\dfrac{3}{5}=\dfrac{3}{20}\text{입니다.}$$

(3) (지효네 집에서 할머니 댁까지의 거리)
$=$(택시를 탄 거리)÷(택시를 탄 거리의 비율)

$$=37\dfrac{1}{2}\div\dfrac{3}{20}=\dfrac{\overset{25}{75}}{\underset{1}{2}}\times\dfrac{\overset{10}{20}}{\underset{1}{3}}=250\,(\text{km})$$

4 (공이 첫 번째로 튀어 오른 높이)$= 1\dfrac{13}{27} \div \dfrac{5}{9}$

$\qquad\qquad\qquad\qquad\qquad\qquad = 2\dfrac{2}{3}$ (m)

(처음 공을 떨어뜨린 높이)$= 2\dfrac{2}{3} \div \dfrac{5}{9} = 4\dfrac{4}{5}$ (m)

➡ (공이 움직인 거리)

$\quad =$ (공을 떨어뜨린 높이)$+$(첫 번째로 튀어 오른 높이)

$\qquad +$ (첫 번째로 튀어 오른 후 떨어진 높이)

$\qquad +$ (두 번째로 튀어 오른 높이)

$\quad = 4\dfrac{4}{5} + 2\dfrac{2}{3} + 2\dfrac{2}{3} + 1\dfrac{13}{27} = 11\dfrac{83}{135}$ (m)

3일 **개념·원리** **길잡이**　　　　　　**20쪽~21쪽**

활동 문제 20쪽

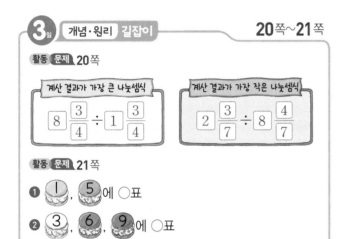

계산 결과가 가장 큰 나눗셈식
$8\dfrac{3}{4} \div 1\dfrac{3}{4}$

계산 결과가 가장 작은 나눗셈식
$2\dfrac{3}{7} \div 8\dfrac{4}{7}$

활동 문제 21쪽

❶ ⬜1️⃣, 5️⃣ 에 ○표

❷ ⬜3️⃣, 6️⃣, 9️⃣ 에 ○표

활동 문제 20쪽

• 나눗셈의 계산 결과가 가장 크려면 나누어지는 수를 가장 크게, 나누는 수를 가장 작게 만듭니다.

　가장 큰 대분수는 채은이의 수 카드로 만든 $8\dfrac{3}{4}$이고

　가장 작은 대분수는 윤수의 수 카드로 만든 $1\dfrac{3}{4}$입니다.

• 나눗셈의 계산 결과가 가장 작으려면 나누어지는 수를 가장 작게, 나누는 수를 가장 크게 만듭니다.

　가장 작은 대분수는 윤수의 수 카드로 만든 $2\dfrac{3}{7}$이고

　가장 큰 대분수는 채은이의 수 카드로 만든 $8\dfrac{4}{7}$입니다.

활동 문제 21쪽

❶ $\dfrac{1}{2} \div \dfrac{\square}{10} = \dfrac{1}{\underset{1}{2}} \times \dfrac{\overset{5}{10}}{\square} = \dfrac{5}{\square}$ ➡ $\dfrac{5}{\square}$가 자연수가 되려면

　□ 안에 알맞은 수는 5의 약수이므로 1, 5입니다.

❷ $1\dfrac{2}{3} \div \dfrac{5}{\square} = \dfrac{\overset{1}{5}}{3} \times \dfrac{\square}{\underset{1}{5}} = \dfrac{\square}{3}$ ➡ $\dfrac{\square}{3}$가 자연수가 되려면

　□ 안에 알맞은 수는 3의 배수이므로 3, 6, 9……입니다.

3일 **서술형** **길잡이** **독해력** **길잡이**　　**22쪽~23쪽**

1-1 8개　　　　　　**1-2** (1) $\dfrac{\bigstar}{12}$　(2) 12

1-3 5　　　　　　**2-1** $8\dfrac{5}{6} \div 2\dfrac{3}{4} = 3\dfrac{7}{33}$

2-2 아영이와 수정이는 각자 가지고 있는 3장의 수 카드를 한 번씩 모두 사용하여 대분수를 만들고 있습니다. 두 사람이 만들 수 있는 대분수로 계산 결과가 가장 작은 (대분수)÷(대분수)를 만들고, 계산해 보세요.

　아영 2️⃣ 4️⃣ 5️⃣　수정 5️⃣ 8️⃣ 9️⃣

$2\dfrac{4}{5} \div 9\dfrac{5}{8} = \dfrac{16}{55}$

2-3 $9\dfrac{5}{8} \div 2\dfrac{4}{5} = 3\dfrac{7}{16}$

1-1 $4 \div \dfrac{\bullet}{6} = 4 \times \dfrac{6}{\bullet} = \dfrac{24}{\bullet}$

➡ $\dfrac{24}{\bullet}$가 자연수가 되려면 ●는 24의 약수여야 하므로 1, 2, 3, 4, 6, 8, 12, 24입니다. ➡ 8개

1-2 (1) $\dfrac{\bigstar}{9} \div 1\dfrac{1}{3} = \dfrac{\bigstar}{9} \div \dfrac{4}{3} = \dfrac{\bigstar}{\underset{3}{9}} \times \dfrac{\overset{1}{3}}{4} = \dfrac{\bigstar}{12}$

(2) $\dfrac{\bigstar}{12}$이 자연수가 되려면 ★은 12의 배수여야 하고 12의 배수 중에서 가장 작은 수는 12입니다.

1-3 $1\dfrac{3}{5} \div \dfrac{4}{\heartsuit} = \dfrac{\overset{2}{8}}{5} \times \dfrac{\heartsuit}{\underset{1}{4}} = \dfrac{2 \times \heartsuit}{5}$

➡ $\dfrac{2 \times \heartsuit}{5}$가 자연수가 되려면 2×♥는 5의 배수여야 하므로 ♥는 5, 10, 15……입니다. 이 중에서 가장 작은 수는 5입니다.

2-1 명준이와 수아가 만들 수 있는 대분수 중 수아가 만들 수 있는 대분수 $8\dfrac{5}{6}$가 가장 크고 명준이가 만들 수 있는 대분수 $2\dfrac{3}{4}$이 가장 작습니다.

➡ $8\dfrac{5}{6} \div 2\dfrac{3}{4} = \dfrac{53}{6} \div \dfrac{11}{4} = \dfrac{53}{\underset{3}{6}} \times \dfrac{\overset{2}{4}}{11} = 3\dfrac{7}{33}$

2-2 만들 수 있는 가장 작은 대분수 $2\dfrac{4}{5}$를 가장 큰 대분수 $9\dfrac{5}{8}$로 나눕니다. ➡ $2\dfrac{4}{5} \div 9\dfrac{5}{8} = \dfrac{14}{5} \times \dfrac{8}{\underset{11}{77}} = \dfrac{16}{55}$

2-3 $9\dfrac{5}{8} \div 2\dfrac{4}{5} = \dfrac{77}{8} \div \dfrac{14}{5} = \dfrac{\overset{11}{77}}{8} \times \dfrac{5}{\underset{2}{14}} = \dfrac{55}{16} = 3\dfrac{7}{16}$

3일 사고력·코딩 24쪽~25쪽

1 $1\dfrac{3}{5} \div 8\dfrac{5}{6} = \dfrac{48}{265}$

2 (1) 4 (2) 21   **3** 민준

4 $\dfrac{4}{3}$, 3, 4, $\dfrac{8}{5}$, 5, 8, 3, 5, 최소공배수에 ○표, 4, 8,

최대공약수에 ○표, $\dfrac{15}{4}$

1 만들 수 있는 가장 작은 대분수 $1\dfrac{3}{5}$을 가장 큰 대분수

$8\dfrac{5}{6}$로 나눕니다. ➡ $1\dfrac{3}{5} \div 8\dfrac{5}{6} = \dfrac{8}{5} \times \dfrac{6}{53} = \dfrac{48}{265}$

2 (1) $\dfrac{1}{2} \div \dfrac{1}{\blacksquare} = \dfrac{1}{2} \times \blacksquare = \dfrac{\blacksquare}{2}$, $\dfrac{1}{4} \div \dfrac{1}{\blacksquare} = \dfrac{1}{4} \times \blacksquare = \dfrac{\blacksquare}{4}$

$\dfrac{\blacksquare}{2}$, $\dfrac{\blacksquare}{4}$ 모두 자연수가 되려면 $\blacksquare$는 2와 4의 공배수여야 합니다. 그중 가장 작은 수는 2와 4의 최소공배수이므로 4입니다.

(2) $\dfrac{1}{3} \div \dfrac{1}{\bullet} = \dfrac{1}{3} \times \bullet = \dfrac{\bullet}{3}$, $\dfrac{1}{7} \div \dfrac{1}{\bullet} = \dfrac{1}{7} \times \bullet = \dfrac{\bullet}{7}$

$\dfrac{\bullet}{3}$, $\dfrac{\bullet}{7}$ 모두 자연수가 되려면 $\bullet$는 3과 7의 공배수여야 합니다. 그중 가장 작은 수는 3과 7의 최소공배수이므로 21입니다.

3 민준이와 세인이가 만들 수 있는 식 중 계산 결과가 가장 큰 (자연수)÷(진분수)를 비교해 봅니다.

민준: $8 \div \dfrac{2}{5} = \overset{4}{8} \times \dfrac{5}{\underset{1}{2}} = 20$

세인: $9 \div \dfrac{3}{4} = \overset{3}{9} \times \dfrac{4}{\underset{1}{3}} = 12$

➡ 20＞12이므로 민준이가 계산 결과가 더 큰 나눗셈 식을 만들 수 있습니다.

4 $\dfrac{\blacktriangle}{\blacksquare} \div \dfrac{3}{4} = \dfrac{\blacktriangle}{\blacksquare} \times \dfrac{4}{3}$, $\dfrac{\blacktriangle}{\blacksquare} \div \dfrac{5}{8} = \dfrac{\blacktriangle}{\blacksquare} \times \dfrac{8}{5}$

$\blacktriangle$는 3과 5의 최소공배수: 15 ┐
$\blacksquare$는 4와 8의 최대공약수: 4 ┘ ➡ $\dfrac{\blacktriangle}{\blacksquare} = \dfrac{15}{4}$

4일 개념·원리 길잡이 26쪽~27쪽

활동 문제 26쪽

❶ 예

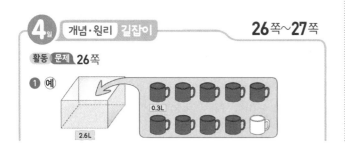

❷ 예

활동 문제 27쪽

활동 문제 26쪽

❶ $2.6 \div 0.3 = 8 \cdots 0.2$

➡ 나머지 $0.2\,L$를 채우기 위해 1번 더 부어야 하므로 적어도 $8+1=9$(번) 부어야 합니다.

❷ $3.2 \div 0.25 = 12 \cdots 0.2$

➡ 나머지 $0.2\,L$를 채우기 위해 1번 더 부어야 하므로 적어도 $12+1=13$(번) 부어야 합니다.

활동 문제 27쪽

$8.8 \div 5.4 = 1.629/629\cdots\cdots$이므로 몫의 소수점 아래에 3개의 숫자 6, 2, 9가 반복되는 규칙입니다.

· 몫의 소수 25째 자리 숫자: $25 \div 3 = 8 \cdots 1$, 3개의 숫자 6, 2, 9가 8번 반복된 후 1번째 숫자이므로 몫의 소수 25째 자리 숫자는 6입니다.

· 몫의 소수 50째 자리 숫자: $50 \div 3 = 16 \cdots 2$, 3개의 숫자 6, 2, 9가 16번 반복된 후 2번째 숫자이므로 몫의 소수 50째 자리 숫자는 2입니다.

4일 서술형 길잡이 독해력 길잡이 28쪽~29쪽

1-1 21상자   **1**-2 13, 48.5, 13

1-3 (1) 6봉지, 1.4 kg (2) 0.6 kg

2-1 7

2-2

다음 나눗셈의 몫의 소수 55째 자리 숫자와 몫의 소수 100째 자리 숫자의 차를 구해 보세요.

$5.6 \div 1.1$

9

2-3 0

1-1 117÷5.4=21…3.6에서 나머지 3.6 kg은 한 상자가 안 되어 팔 수 없으므로 21상자까지만 팔 수 있습니다.

1-3 (2) 남는 설탕 1.4 kg으로 한 봉지를 만들면 되므로 2−1.4=0.6 (kg)이 더 필요합니다.

2-1 38÷27=1.4̇07̇/407……이므로 몫의 소수점 아래에 3개의 숫자 4, 0, 7이 반복됩니다.
 • 몫의 소수 30째 자리 숫자: 30÷3=10, 3개의 숫자 4, 0, 7이 10번 반복되므로 몫의 소수 30째 자리 숫자는 7입니다.
 • 몫의 소수 50째 자리 숫자: 50÷3=16…2, 3개의 숫자 4, 0, 7이 16번 반복된 후 2번째 숫자이므로 몫의 소수 50째 자리 숫자는 0입니다.
 따라서 두 수의 차는 7−0=7입니다.

2-2 5.6÷1.1=5.0̇9̇/09/09……이므로 몫의 소수 홀수째 자리 숫자는 0이고, 몫의 소수 짝수째 자리 숫자는 9입니다.
 몫의 소수 55째 자리는 홀수째 자리이므로 숫자는 0이고, 몫의 소수 100째 자리는 짝수째 자리이므로 숫자는 9입니다.
 따라서 두 수의 차는 9−0=9입니다.

2-3 $\frac{9}{22}$=9÷22=0.4̇09̇/09/09……
 소수 둘째 자리부터 숫자 0과 9가 반복됩니다.
 소수 첫째 자리를 제외하고 소수 짝수째 자리 숫자는 0, 소수 홀수째 자리 숫자는 9입니다.
 ➡ 소수 70째 자리는 짝수째 자리이므로 숫자는 0입니다.

4일 사고력·코딩 **30**쪽~**31**쪽

1 (왼쪽에서부터) 1.72, 1.1, 2, 4
2 (1) 1 (2) 4   **3** (1) 3 (2) 32.4
4 0.8 m, 8개

1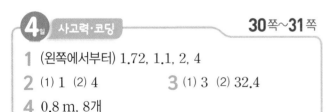

5.6÷1.2=4…0.8, 9.5÷1.2=7…1.1,
8.4÷3.52=2…1.36, 15.8÷3.52=4…1.72

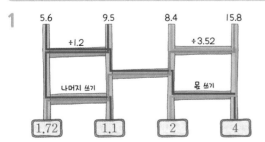

---

2 (1) 8.6÷2.7=3.1̇85̇/185……이므로 몫의 소수점 아래에 3개의 숫자 1, 8, 5가 반복됩니다.
 100÷3=33…1 ➡ 몫의 소수 100째 자리 숫자는 3개의 숫자 1, 8, 5가 33번 반복된 후 첫 번째 숫자이므로 1입니다.

(2) 6.44÷2.53=2.5̇4̇/54/54……이므로 몫의 소수 홀수째 자리 숫자는 5이고, 몫의 소수 짝수째 자리 숫자는 4입니다.
 몫의 소수 100째 자리는 짝수째 자리이므로 숫자는 4입니다.

3 (1) 14÷2.2=6.3……
 ➡ 몫을 반올림하여 일의 자리까지 나타내면 6입니다. 6은 4보다 작지 않으므로 다시 2.2로 나눕니다.
 6÷2.2=2.7……
 ➡ 몫을 반올림하여 일의 자리까지 나타내면 3입니다. 3은 4보다 작으므로 3을 씁니다.

(2) 15.9÷0.7=22.71……
 ➡ 몫을 반올림하여 소수 첫째 자리까지 나타내면 22.7입니다. 22.7은 32보다 크지 않으므로 다시 0.7로 나눕니다.
 22.7÷0.7=32.42……
 ➡ 몫을 반올림하여 소수 첫째 자리까지 나타내면 32.4입니다. 32.4는 32보다 크므로 32.4를 씁니다.

4 15.2÷2=7…1.2에서 상자 7개를 묶고, 리본 1.2 m가 남습니다. 리본을 남김없이 사용하려면 적어도 상자 1개를 더 묶어야 하고 이때 더 필요한 리본은
 2−1.2=0.8 (m)입니다.
 또, 이때 묶은 상자는 7+1=8(개)입니다.

5일 개념·원리 길잡이 **32**쪽~**33**쪽

활동 문제 **32**쪽
(위에서부터) 1.5, 0.8, 3.25
활동 문제 **33**쪽
(위에서부터) 12.6, 1.5, 8.4 / 8.4, 12.4 / 8.4, 4.4

활동 문제 **32**쪽
(걸린 시간)=(움직인 거리)÷(1시간 동안 가는 거리(속력))
A: 18.3÷12.2=1.5(시간)
B: 8.24÷10.3=0.8(시간)
C: 27.3÷8.4=3.25(시간)

- (흐르지 않는 물에서 배가 1시간 동안 가는 거리) ← 원래 배의 속력
  =(간 거리)÷(걸린 시간)=12.6÷1.5=8.4 (km)
- (강물을 따라 내려가는 배가 1시간 동안 가는 거리)
  =(원래 배의 속력)+(강물의 속력)
  =8.4+4=12.4 (km)
- (강물을 거슬러 올라가는 배가 1시간 동안 가는 거리)
  =(원래 배의 속력)−(강물의 속력)
  =8.4−4=4.4 (km)

5일 서술형 길잡이 독해력 길잡이 34쪽~35쪽

1-1 1.5시간

1-2 (1) 92.4 km (2) 8.5시간

1-3 8.25, 8.25, 72, 72, 2.2 **2-1** 6시간

2-2 흐르지 않는 물에서 1.3시간에 7.8 km를 가는 배가 있습니다. 강물이 3시간에 3.6 km씩 흐르는 강에서 이 배가 강물이 흐르는 방향으로 32.4 km를 가는 데 몇 시간이 걸리는지 구해 보세요.
(단, 배와 강물의 속력은 각각 일정합니다.)

　　4.5시간

2-3 3.25시간

1-1 (1시간 동안 가는 거리)=426÷5=85.2 (km)
　➡ (127.8 km를 가는 데 걸리는 시간)
　　=(가는 거리)÷(1시간 동안 가는 거리)
　　=127.8÷85.2=1.5(시간)

1-2 (1) 323.4÷3.5=92.4 (km)
　　(2) 785.4÷92.4=8.5(시간)

1-3 8시간 15분=8시간+(15÷60)시간
　　　　　=8시간+0.25시간=8.25시간

2-1 (강물이 1시간 동안 흐르는 거리)
　　=10.8÷2.4=4.5 (km)
　(강물을 따라 움직이는 배가 1시간 동안 가는 거리)
　　=12.8+4.5=17.3 (km)
　➡ 강물이 흐르는 방향으로 103.8 km를 가려면
　　103.8÷17.3=6(시간) 걸립니다.

2-2 (배가 1시간 동안 가는 거리)=7.8÷1.3=6 (km)
　(강물이 1시간 동안 흐르는 거리)=3.6÷3=1.2 (km)
　(강물을 따라 움직이는 배가 1시간 동안 가는 거리)
　　=6+1.2=7.2 (km)
　➡ (강물이 흐르는 방향으로 32.4 km를 가는 데 걸리는 시간)
　　=32.4÷7.2=4.5(시간)

2-3 (강물이 1시간 동안 흐르는 거리)
　　=9.5÷3.8=2.5 (km)
　(강물을 거슬러 올라가는 배가 1시간 동안 가는 거리)
　　=8.3−2.5=5.8 (km)
　➡ (강물을 거슬러 18.85 km를 가는 데 걸리는 시간)
　　=18.85÷5.8=3.25(시간)

5일 사고력·코딩 36쪽~37쪽

1 45.3초 후

2 (1) 9.6 km (2) 2.3시간 (3) 1.6시간

3 5시간

4 (1) 4.2 km, 2.8 km (2) 7 km (3) 21 km

1 (걸린 시간)=(간 거리)÷(속력)이므로 천둥소리를 듣는 데 걸리는 시간은 번개가 친 곳에서 떨어진 거리를 소리가 1초 동안 가는 거리로 나눕니다.
15.4÷0.34=45.29…… ➡ 45.3

2 (1) 1시간 30분은 1.5시간이므로 강물은 1시간에
　　14.4÷1.5=9.6 (km)씩 흐릅니다.
　(2) (강물을 따라 움직이는 배가 1시간 동안 가는 거리)
　　=22.4+9.6=32 (km)
　　➡ (강물이 흐르는 방향으로 73.6 km를 가는 데 걸리는 시간)
　　　=73.6÷32=2.3(시간)
　(3) (강물을 거슬러 올라가는 배가 1시간 동안 가는 거리)
　　=22.4−9.6=12.8 (km)
　　➡ (강물을 거슬러 20.48 km를 가는 데 걸리는 시간)
　　　=20.48÷12.8=1.6(시간)

3 강을 거슬러 올라가는 연어가 1시간 동안 가는 거리는
4.6−3.4=1.2 (km)입니다.
　➡ (6 km를 거슬러 올라가는 데 걸리는 시간)
　　=6÷1.2=5(시간)

4 (1) 성훈: 1시간 30분=1.5시간
　　　➡ 6.3÷1.5=4.2 (km)
　　현주: 2시간 15분=2.25시간
　　　➡ 6.3÷2.25=2.8 (km)
　(2) 두 사람 사이의 거리는 두 사람이 간 거리의 합입니다.
　　➡ 4.2+2.8=7 (km)
　(3) (3시간 후 두 사람 사이의 거리)
　　=(1시간 후 두 사람 사이의 거리)×3
　　=7×3=21 (km)

1

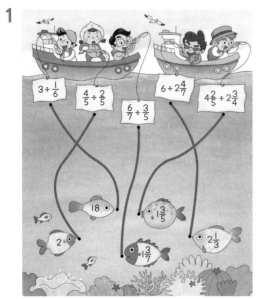

2

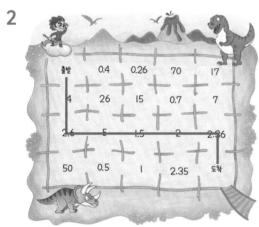

3 $1\dfrac{3}{5}$배

4 ❶ $25\,km$, $25\dfrac{2}{3}\,km$　❷ B 승용차

5

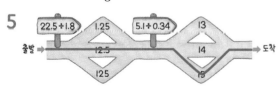

6 ❶ 18　❷ 15

7 ❶

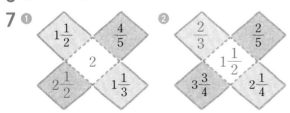

8 ❶ 3배　❷ 4배　　**9** 형설지공

10 ㉠ $4\div\dfrac{2}{9}$　㉡ 18

---

1 $3\div\dfrac{1}{6}=3\times6=18$

$\dfrac{4}{5}\div\dfrac{2}{5}=4\div2=2$

$\dfrac{6}{7}\div\dfrac{3}{5}=\dfrac{6}{7}\times\dfrac{\overset{2}{5}}{\underset{1}{3}}=\dfrac{10}{7}=1\dfrac{3}{7}$

$6\div2\dfrac{4}{7}=6\div\dfrac{18}{7}$

$\quad=\overset{1}{6}\times\dfrac{7}{\underset{3}{18}}=\dfrac{7}{3}=2\dfrac{1}{3}$

$4\dfrac{2}{5}\div2\dfrac{3}{4}=\dfrac{22}{5}\div\dfrac{11}{4}$

$\quad=\dfrac{\overset{2}{22}}{5}\times\dfrac{4}{\underset{1}{11}}=\dfrac{8}{5}=1\dfrac{3}{5}$

2 ➊ $0.92\div0.23=4$

➋ $3.64\div1.4=2.6$

➌ $17\div3.4=5$

➍ $7.8\div5.2=1.5$

➎ $5.5\div3=1.8\cdots$에서 몫의 소수 첫째 자리 숫자가 8이므로 몫을 반올림하여 일의 자리까지 나타내면 2입니다.

➏ $2.83\div1.2=2.358\cdots$에서 몫의 소수 셋째 자리 숫자가 8이므로 몫을 반올림하여 소수 둘째 자리까지 나타내면 2.36입니다.

3 $\dfrac{2}{5}\div\dfrac{1}{4}=\dfrac{2}{5}\times4=\dfrac{8}{5}=1\dfrac{3}{5}$(배)

4 ❶ A 승용차: $10\div\dfrac{2}{5}=\overset{5}{10}\times\dfrac{5}{\underset{1}{2}}=25$ (km)

B 승용차: $11\div\dfrac{3}{7}=11\times\dfrac{7}{3}=\dfrac{77}{3}=25\dfrac{2}{3}$ (km)

❷ $25<25\dfrac{2}{3}$이므로 휘발유 $1\,L$로 더 멀리 갈 수 있는 B 승용차의 연비가 더 좋습니다.

5

$$\begin{array}{r}12.5\\1.8\overline{)22.5}\\\underline{18}\\45\\\underline{36}\\90\\\underline{90}\\0\end{array}\qquad\begin{array}{r}15\\0.34\overline{)5.10}\\\underline{34}\\170\\\underline{170}\\0\end{array}$$

6 ❶ $10.8\div0.6=18$(개)

❷ $21\div1.4=15$(개)

7 ❶

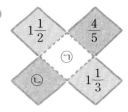

㉠=(같은 색이 칠해진 양 끝 두 수의 곱)

$$=1\frac{1}{2}\times1\frac{1}{3}=\frac{\overset{1}{\cancel{3}}}{2}\times\frac{\overset{2}{\cancel{4}}}{\cancel{3}_1}=2$$

㉡$\times\dfrac{4}{5}=2$이므로

$$㉡=2\div\frac{4}{5}=\overset{1}{\cancel{2}}\times\frac{5}{\cancel{4}_2}=\frac{5}{2}=2\frac{1}{2}$$

❷

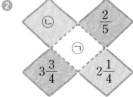

㉠=(같은 색이 칠해진 양 끝 두 수의 곱)

$$=3\frac{3}{4}\times\frac{2}{5}=\frac{\overset{3}{\cancel{15}}}{\cancel{4}_2}\times\frac{\overset{1}{\cancel{2}}}{\cancel{5}_1}=\frac{3}{2}=1\frac{1}{2}$$

㉡$\times2\frac{1}{4}=1\frac{1}{2}$이므로

$$㉡=1\frac{1}{2}\div2\frac{1}{4}=\frac{3}{2}\div\frac{9}{4}$$

$$=\frac{\overset{1}{\cancel{3}}}{\cancel{2}_1}\times\frac{\overset{2}{\cancel{4}}}{\cancel{9}_3}=\frac{2}{3}$$

8 ❶ $0.75\div0.25=3$(배)

❷ $2\div0.5=4$(배)

9 $104\div6.8=15\cdots2$, $108\div4.3=25\cdots0.5$,
$18.2\div6.5=2\cdots5.2$, $10.8\div4.6=2\cdots1.6$

$$\underset{형}{5.2}>\underset{설}{2}>\underset{지}{1.6}>\underset{공}{0.5}$$

형설지공: 반딧불과 눈빛으로 이룬 공이라는 뜻으로,
가난을 이겨내며 반딧불과 눈빛으로 글을 읽
어가며 고생 속에서 공부하여 이룬 공을 일
컫는 말

10 하루고가 계산한 순서대로 써 보면 $(4\div2)\times9$이므로
입력한 분수의 나눗셈은 $4\div\dfrac{2}{9}$입니다.

$$\Rightarrow 4\div\frac{2}{9}=(4\div2)\times9=2\times9=18$$

---

1 $2\dfrac{1}{10}$ **2** $2\dfrac{6}{7}$

3 9 m   **4** 10개

5 $6\dfrac{4}{5}\div1\dfrac{2}{3}=4\dfrac{2}{25}$ **6** 13상자

7 4   **8** 2.5시간

1 $\dfrac{5}{6}✽\dfrac{1}{3}=\dfrac{5}{6}\div\dfrac{1}{3}-\dfrac{1}{3}\div\dfrac{5}{6}=\dfrac{5}{\cancel{6}_2}\times\cancel{3}-\dfrac{1}{\cancel{3}_1}\times\dfrac{\overset{2}{\cancel{6}}}{5}$

$$=2\frac{1}{2}-\frac{2}{5}=2\frac{5}{10}-\frac{4}{10}=2\frac{1}{10}$$

2 $\dfrac{4}{5}\times\boxed{🧸}=2\dfrac{2}{7}$

$\Rightarrow\boxed{🧸}=2\dfrac{2}{7}\div\dfrac{4}{5}=\dfrac{\overset{4}{\cancel{16}}}{7}\times\dfrac{5}{\cancel{4}_1}=\dfrac{20}{7}=2\dfrac{6}{7}$

3 남은 색 테이프는 처음 색 테이프의 $1-\dfrac{1}{3}=\dfrac{2}{3}$입니다.

$\Rightarrow$ (처음 색 테이프의 길이)

$$=6\div\frac{2}{3}=\overset{3}{\cancel{6}}\times\frac{3}{\cancel{2}_1}=9\,(m)$$

4 $6\div\dfrac{■}{8}=6\times\dfrac{8}{■}=\dfrac{48}{■}$

$\dfrac{48}{■}$이 자연수가 되려면 ■는 48의 약수여야 하므로

1, 2, 3, 4, 6, 8, 12, 16, 24, 48입니다. $\Rightarrow$ 10개

5 나눗셈의 계산 결과가 가장 크려면 나누어지는 수를 가
장 크게, 나누는 수를 가장 작게 만듭니다.

가장 큰 대분수는 정현이의 수 카드로 만든 $6\dfrac{4}{5}$이고,

가장 작은 대분수는 민석이의 수 카드로 만든 $1\dfrac{2}{3}$입니다.

$$6\frac{4}{5}\div1\frac{2}{3}=\frac{34}{5}\div\frac{5}{3}=\frac{34}{5}\times\frac{3}{5}=\frac{102}{25}=4\frac{2}{25}$$

6 $92.5\div7=13\cdots1.5$에서 나머지 1.5 kg은 한 상자가
안 되어 팔 수 없으므로 13상자까지만 팔 수 있습니다.

7 $50\div11=4.54/54/54\cdots\cdots$에서 몫의 소수 홀수
째 자리 숫자는 5이고, 몫의 소수 짝수째 자리 숫자는
4입니다. 몫의 소수 40째 자리는 짝수째 자리이므로
숫자는 4입니다.

8 (걸리는 시간)=(가는 거리)÷(1시간 동안 가는 거리)
$$=183.5\div73.4=2.5\text{(시간)}$$

2주

2주에는 무엇을 공부할까? ② **48**쪽~**49**쪽

1-1 앞, 위, 옆   1-2 옆, 앞, 위

2-1 9개   2-2 11개

3-1 [도형]   3-2 [도형]

4-1 7개   4-2 5개

5-1 (1) 예 3 : 5 (2) 예 8 : 7

5-2 (1) 예 3 : 2 (2) 예 25 : 36

1-1 위에서 보면 1층의 모양과 같고 앞에서 보면 왼쪽에서
부터 3층, 2층, 1층으로 보입니다. 또, 옆에서 보면 왼
쪽에서부터 2층, 3층으로 보입니다.

1-2 위에서 보면 1층의 모양과 같고 앞에서 보면 왼쪽에서
부터 2층, 3층, 2층으로 보입니다. 또, 옆에서 보면 왼
쪽에서부터 1층, 2층, 3층으로 보입니다.

2-1 1층이 5개, 2층이 3개, 3층이 1개입니다.
➡ 5+3+1=9(개)

2-2 1층이 6개, 2층이 4개, 3층이 1개입니다.
➡ 6+4+1=11(개)

3-1 앞에서 보면 왼쪽에서부터 3층, 3층, 2층으로 보입니다.

3-2 옆에서 보면 왼쪽에서부터 1층, 3층, 3층으로 보입니다.

4-1 2층에 쌓인 쌓기나무의 개수는 2 이상의 수가 쓰여 있
는 칸 수와 같습니다.

③③②① ➡ 7개
②②②①②

4-2 3층에 쌓인 쌓기나무의 개수는 3 이상의 수가 쓰여 있
는 칸 수와 같습니다.

③
③④③ ➡ 5개
④②

5-1 (1) 12 : 20 ➡ (12÷4) : (20÷4) ➡ 3 : 5
(2) 48 : 42 ➡ (48÷6) : (42÷6) ➡ 8 : 7

5-2 (1) $\frac{3}{4} : \frac{1}{2}$ ➡ $\left(\frac{3}{4}×4\right) : \left(\frac{1}{2}×4\right)$ ➡ 3 : 2

(2) $1\frac{2}{3} : 2\frac{2}{5}$ ➡ $\left(\frac{5}{3}×15\right) : \left(\frac{12}{5}×15\right)$ ➡ 25 : 36

---

①일 개념·원리 길잡이 **50**쪽~**51**쪽

활동 문제 50쪽

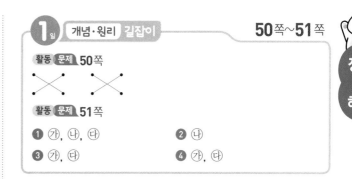

활동 문제 51쪽

❶ ⑦, ⑭, ⑭   ❷ ⑭

❸ ⑦, ⑭   ❹ ⑦, ⑭

활동 문제 50쪽

가장 앞에 쌓여 있는 쌓기나무의 층수를 알아보고, 그것을
중심으로 왼쪽과 오른쪽에 쌓여 있는 쌓기나무의 층수를 살
펴봅니다.

활동 문제 51쪽

❶ 위에서 보는 방향으로 ⑭ 상자에 넣을 수 있습니다.
앞에서 보는 방향으로 ⑦, ⑭, ⑭ 상자에 넣을 수 있습니다.

❷ 위에서 보는 방향으로 ⑭ 상자에 넣을 수 있습니다.
앞에서 보는 방향으로 ⑭ 상자에 넣을 수 있습니다.

❸ 위에서 보는 방향으로 ⑦, ⑭ 상자에 넣을 수 있습니다.

❹ 앞에서 보는 방향으로 ⑦, ⑭ 상자에 넣을 수 있습니다.

---

①일 서술형 길잡이 독해력 길잡이 **52**쪽~**53**쪽

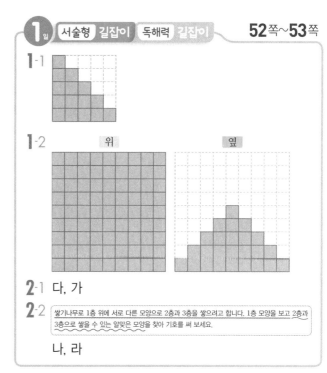

2-1 다, 가

2-2 쌓기나무로 1층 위에 서로 다른 모양으로 2층과 3층을 쌓으려고 합니다. 1층 모양을 보고 2층과
3층으로 쌓을 수 있는 알맞은 모양을 찾아 기호를 써 보세요.

나, 라

1-1 위   위
4 3 2 1   5 4 3 2 1
네 번째   다섯 번째

다섯 번째로 쌓은 모양은 오른쪽과 같습
니다. 이 모양을 앞에서 보면 왼쪽에서부
터 5층, 4층, 3층, 2층, 1층으로 보입니다.

1-2

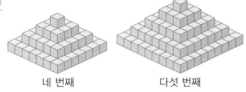

네 번째　　　　다섯 번째

다섯 번째로 쌓은 모양을 위에서 보면 한 변이 쌓기나무 9개짜리인 정사각형 모양으로 보입니다. 또, 다섯 번째로 쌓은 모양을 옆에서 보면 위로 올라갈수록 양 옆의 쌓기나무가 1개씩 줄어드는 모양으로 보입니다.

2-1 2층으로 가능한 모양: 가, 다, 라
- 2층에 가를 놓으면 3층에 놓을 수 있는 모양이 없습니다.
- 2층에 다를 놓으면 3층에 가를 놓을 수 있습니다.
- 2층에 라를 놓으면 3층에 놓을 수 있는 모양이 없습니다.
→ 2층에 다를 놓고 3층에 가를 놓으면 됩니다.

2-2 2층으로 가능한 모양: 가, 나, 라
- 2층에 가를 놓으면 3층에 놓을 수 있는 모양이 없습니다.
- 2층에 나를 놓으면 3층에 라를 놓을 수 있습니다.
- 2층에 라를 놓으면 3층에 놓을 수 있는 모양이 없습니다.
→ 2층에 나를 놓고 3층에 라를 놓으면 됩니다.

1일 사고력·코딩　54쪽~55쪽

1 다　　**2** 32개

3
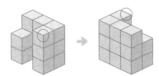

4 (1) $1\,cm^2$　(2) 49개, 18개, 18개　(3) $170\,cm^2$

1 다 모양을 주어진 그림과 같은 모양이 되도록 돌려 보면 ○표 한 쌓기나무가 보이게 됩니다.

2 한 쪽 면에서 반대쪽 면까지 구멍을 뚫을 때마다 쌓기나무를 $4\times4=16$(개) 빼내게 되므로 3개의 면에서 구멍을 뚫으면 쌓기나무를 $16\times3=48$(개) 빼내게 됩니다.

이때 정육면체의 가장 안쪽에 있는 쌓기나무 $2\times2\times2=8$(개)를 3번 빼내게 되므로 실제로 빼내게 되는 쌓기나무는 $48-8\times2=48-16=32$(개)입니다.

3 가장 앞에 2층이 보이도록 그립니다.

4 (2) • 위에서 보았을 때　　• 앞에서 보았을 때
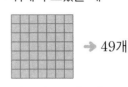 → 49개　　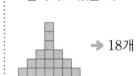 → 18개

• 옆에서 보았을 때
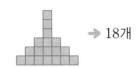 → 18개

(3) 바깥쪽 면이 모두 $(49+18+18)\times2=85\times2=170$(개)이므로 페인트를 칠한 면의 넓이는 $170\,cm^2$입니다.

2일 개념·원리 길잡이　56쪽~57쪽

활동 문제 56쪽　　**활동 문제 57쪽**
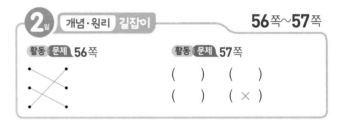

활동 문제 56쪽

 쌓기나무를 가로에 3개씩, 세로에 2개씩, 높이에 2개씩 쌓으면 가장 작은 직육면체 모양이 됩니다.

 쌓기나무를 가로에 2개씩, 세로에 2개씩, 높이에 4개씩 쌓으면 가장 작은 직육면체 모양이 됩니다.

 쌓기나무를 가로에 3개씩, 세로에 2개씩, 높이에 3개씩 쌓으면 가장 작은 직육면체 모양이 됩니다.

활동 문제 57쪽

가　　나　　다　　라

가, 나, 다는 쌓기나무를 가로에 3개씩, 세로에 3개씩, 높이에 3개씩 쌓으면 가장 작은 정육면체 모양이 됩니다.
라는 쌓기나무를 가로에 4개씩, 세로에 4개씩, 높이에 4개씩 쌓아야 가장 작은 정육면체 모양이 됩니다.

2일 서술형 길잡이 독해력 길잡이 **58**쪽~**59**쪽

1-1 8개

1-2 (1) 17개 (2) 36개 (3) 19개

2-1 12개

2-2 쌓기나무로 쌓은 모양을 층별로 나타낸 모양과 위, 앞, 옆에서 본 모양입니다. 이 모양에 쌓기나무를 더 쌓아 가장 작은 정육면체 모양을 만들려고 합니다. 쌓기나무는 몇 개 더 필요한지 구해 보세요.

(1) 15개 (2) 16개

1-1 (쌓은 쌓기나무의 개수)
$=3+2+1+2+2=10$(개)

가장 작은 직육면체 모양을 만들려면 가로, 세로, 높이에 쌓기나무를 각각 3개씩, 2개씩, 3개씩 쌓아야 하므로 $3\times2\times3=18$(개) 필요합니다.

➡ (더 필요한 쌓기나무의 개수)$=18-10=8$(개)

1-2 (1) (쌓은 쌓기나무의 개수)
$=3+3+1+2+2+2+1+2+1$
$=17$(개)

(2) 가로, 세로, 높이에 쌓기나무를 각각 4개씩, 3개씩, 3개씩 쌓아야 하므로 $4\times3\times3=36$(개) 필요합니다.

(3) $36-17=19$(개)

2-1 쌓기나무가 1층에 7개, 2층에 5개, 3층에 3개이므로 주어진 모양을 쌓는 데 사용한 쌓기나무의 개수는 $7+5+3=15$(개)입니다.
(가장 작은 정육면체 모양을 만드는 데 필요한 쌓기나무의 개수)
$=3\times3\times3=27$(개)

➡ (더 필요한 쌓기나무의 개수)$=27-15=12$(개)

2-2 (1) 쌓기나무가 1층에 6개, 2층에 4개, 3층에 2개이므로 주어진 모양을 쌓는 데 사용한 쌓기나무의 개수는 $6+4+2=12$(개)입니다.
(가장 작은 정육면체 모양을 만드는 데 필요한 쌓기나무의 개수)
$=3\times3\times3=27$(개)

➡ (더 필요한 쌓기나무의 개수)$=27-12=15$(개)

(2) (주어진 모양을 쌓는 데 사용한 쌓기나무의 개수)
$=3+3+2+2+1=11$(개)

(가장 작은 정육면체 모양을 만드는 데 필요한 쌓기나무의 개수)
$=3\times3\times3=27$(개)

➡ (더 필요한 쌓기나무의 개수)$=27-11=16$(개)

2일 사고력·코딩 **60**쪽~**61**쪽

1 28개

2 (1) 12개 (2) 32개

3 26개, 54개

4 45개

---

1 (주어진 모양을 쌓는 데 사용한 쌓기나무의 개수)
$=3+2+3+2+2+3+1+1+2+1=20$(개)

가장 작은 직육면체 모양을 만들려면 가로, 세로, 높이에 쌓기나무를 각각 4개씩, 4개씩, 3개씩 쌓아야 하므로 $4\times4\times3=48$(개) 필요합니다.

➡ (더 필요한 쌓기나무의 개수)$=48-20=28$(개)

2 (1) (정육면체 모양에 사용한 쌓기나무의 개수)
$=3\times3\times3=27$(개)

(쌓기나무를 빼낸 후 남은 쌓기나무의 개수)
$=2+2+3+2+2+3+1=15$(개)

➡ (빼낸 쌓기나무의 개수)$=27-15=12$(개)

(2) (정육면체 모양에 사용한 쌓기나무의 개수)
$=4\times4\times4=64$(개)

(쌓기나무를 빼낸 후 남은 쌓기나무의 개수)
$=4+3+4+3+3+3+2+2+2+3+2+1$
$=32$(개)

➡ (빼낸 쌓기나무의 개수)$=64-32=32$(개)

3 (주어진 모양을 쌓는 데 사용한 쌓기나무의 개수)
$=1+4+2+1+1+1=10$(개)

• 가장 작은 직육면체 모양을 만들려면 가로, 세로, 높이에 쌓기나무를 각각 3개씩, 3개씩, 4개씩 쌓아야 하므로 $3\times3\times4=36$(개) 필요합니다.

➡ (더 필요한 쌓기나무의 개수)$=36-10=26$(개)

• 가장 작은 정육면체 모양을 만들려면 가로, 세로, 높이에 쌓기나무를 각각 4개씩, 4개씩, 4개씩 쌓아야 하므로 $4\times4\times4=64$(개) 필요합니다.

➡ (더 필요한 쌓기나무의 개수)$=64-10=54$(개)

4 (쌓은 쌓기나무의 개수)
$=1+1+1+3+4+1+3+1+1+1+1+1$
$=19$(개)

(가장 작은 정육면체 모양을 만드는 데 필요한 쌓기나무의 개수)
$=4\times4\times4=64$(개)

➡ (더 필요한 쌓기나무의 개수)$=64-19=45$(개)

3일 개념·원리 길잡이 62쪽~63쪽

활동 문제 62쪽

① ②

③

활동 문제 63쪽

① ( ) ( ) (○)

② (○) ( ) ( )

③ ( ) (○) ( )

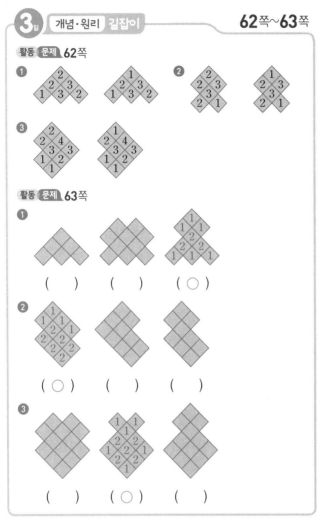

3일 서술형 길잡이 독해력 길잡이 64쪽~65쪽

1-1 17개

1-2 (1) , 23 / , 20 (2) 3개

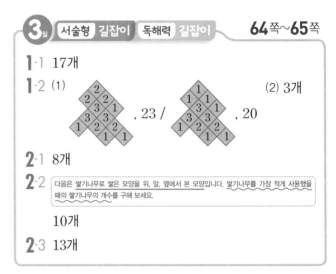

2-1 8개

2-2 다음은 쌓기나무로 쌓은 모양을 위, 앞, 옆에서 본 모양입니다. 쌓기나무를 가장 적게 사용했을 때의 쌓기나무의 개수를 구해 보세요.

10개

2-3 13개

활동 문제 62쪽

① ★표 자리에는 쌓기나무가 1개 또는 2개 쌓여 있습니다.

쌓기나무가 가장 많을 때는 ★표 자리에 쌓기나무가 2개 쌓여 있을 때이고, 쌓기나무가 가장 적을 때는 ★표 자리에 쌓기나무가 1개 쌓여 있을 때입니다.

② ★표 자리에는 쌓기나무가 1개 또는 2개 쌓여 있습니다.

쌓기나무가 가장 많을 때는 ★표 자리에 쌓기나무가 2개 쌓여 있을 때이고, 쌓기나무가 가장 적을 때는 ★표 자리에 쌓기나무가 1개 쌓여 있을 때입니다.

③ ★표 자리에는 쌓기나무가 1개 또는 2개 쌓여 있습니다.

쌓기나무가 가장 많을 때는 ★표 자리에 쌓기나무가 2개 쌓여 있을 때이고, 쌓기나무가 가장 적을 때는 ★표 자리에 쌓기나무가 1개 쌓여 있을 때입니다.

1-1 쌓기나무가 가장 많을 때는 ★표 자리에 쌓기나무가 2개 쌓여 있을 때입니다.

➡ (쌓기나무의 개수)
=2+2+1+3+3+2+2+1+1=17(개)

1-2 (1) 쌓기나무가 가장 많을 때는 ★표 자리에 쌓기나무가 2개 쌓여 있을 때이고, 쌓기나무가 가장 적을 때는 ★표 자리에 쌓기나무가 1개 쌓여 있을 때입니다.

(2) 23-20=3(개)

2-1 위에서 본 모양의 각 자리에 쌓은 쌓기나무의 개수는 왼쪽과 같고, ★표 자리에는 쌓기나무가 1개 또는 2개 쌓여 있습니다.

쌓기나무가 가장 적을 때는 ★표 자리에 쌓기나무가 1개 쌓여 있을 때입니다.

➡ (쌓기나무의 개수)=3+1+1+2+1=8(개)

2-2 위에서 본 모양의 각 자리에 쌓은 쌓기나무의 개수는 왼쪽과 같고, ★표 자리에는 쌓기나무가 1개 또는 2개 쌓여 있습니다.

쌓기나무가 가장 적을 때는 ★표 자리에 쌓기나무가 1개 쌓여 있을 때입니다.

➡ (쌓기나무의 개수)=1+3+1+2+1+2=10(개)

2-3 위에서 본 모양의 각 자리에 쌓은 쌓기나무의 개수는 왼쪽과 같고, ★표 자리에는 쌓기나무가 1개 또는 2개 또는 3개 쌓여 있습니다.

쌓기나무가 가장 많을 때는 ★표 자리에 쌓기나무가 3개 쌓여 있을 때입니다.

➡ (쌓기나무의 개수)=1+3+1+1+1+3+3
=13(개)

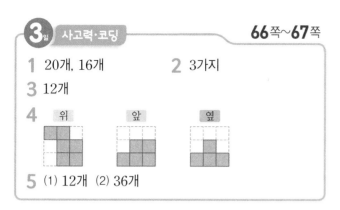

3일 **사고력·코딩** **66**쪽~**67**쪽

1 20개, 16개 **2** 3가지

3 12개

4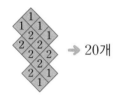

5 (1) 12개 (2) 36개

1 보이지 않는 뒤쪽에 1개씩 줄어든 쌓기나무가 있을 수 있습니다.

• 쌓기나무가 가장 많을 때

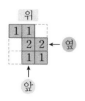 ➡ 20개

• 쌓기나무가 가장 적을 때

➡ 16개

2 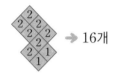 위에서 본 모양의 각 자리에 쌓은 쌓기나무의 개수는 왼쪽과 같습니다.

★표 자리에는 쌓기나무를 1개 또는 2개 또는 3개 쌓을 수 있으므로 모두 3가지로 쌓을 수 있습니다.

3 위에서 본 모양의 각 자리가 다음과 같으면 위, 앞, 옆에서 본 모양이 변하지 않으면서 가장 많이 빼낼 수 있습니다.

모양이 변하지 않게 쌓기나무를 가장 많이 빼냈을 때 남는 쌓기나무의 개수는 15개입니다. 처음 정육면체 모양의 쌓기나무의 개수는 $3 \times 3 \times 3 = 27$(개)이고 위와 같이 빼내고 남은 쌓기나무의 개수는 15개이므로 $27 - 15 = 12$(개)까지 빼낼 수 있습니다.

4 보이는 곳에 있는 쌓기나무 개수는 6개이므로 보이지 않는 뒤쪽에 쌓기나무가 $8 - 6 = 2$(개) 있습니다.

• 앞에서 보면 왼쪽에서부터 1층, 2층, 2층으로 보입니다.
• 옆에서 보면 왼쪽에서부터 1층, 2층, 1층으로 보입니다.

5 (1) • 쌓기나무를 가장 많이 사용했을 때

 ➡ 27개

• 쌓기나무를 가장 적게 사용했을 때

예 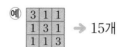 ➡ 15개

➡ $27 - 15 = 12$(개)

(2) • 쌓기나무를 가장 많이 사용했을 때

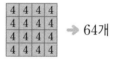 ➡ 64개

• 쌓기나무를 가장 적게 사용했을 때

예  ➡ 28개

➡ $64 - 28 = 36$(개)

4일 **개념·원리 길잡이** **68**쪽~**69**쪽

활동 문제 68쪽

❶ (○) (　　) (○)　❷ (○) (○) (　　)

❸ (　　) (○) (○)

활동 문제 69쪽

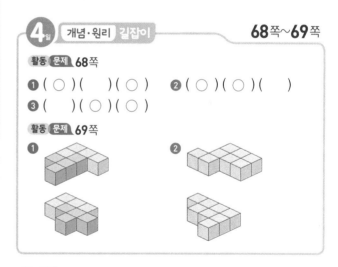

활동 문제 68쪽

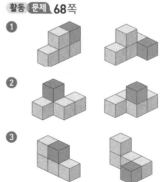

활동 문제 69쪽

한 가지 쌓기나무 모양이 들어갈 자리를 예상해 보고 남은 자리에 다른 모양이 들어갈 수 있는지 알아봅니다.

4일 서술형 길잡이 독해력 길잡이 **70**쪽~**71**쪽

1-1 2가지

1-2 (1) 예

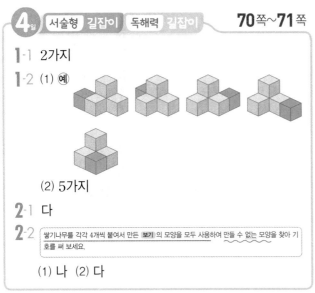

(2) 5가지

2-1 다

2-2 쌀기나무를 각각 4개씩 붙여서 만든 보기 의 모양을 모두 사용하여 만들 수 없는 모양을 찾아 기호를 써 보세요.

(1) 나 (2) 다

1-1

→ 2가지

2-1 다:

2-2 (1) 가:

다:

(2) 가:

나:

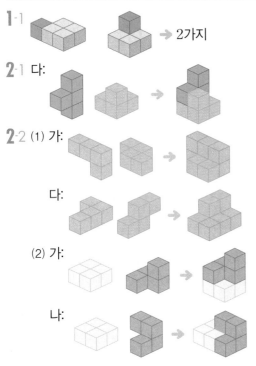

4일 사고력·코딩 **72**쪽~**73**쪽

1 (1) 나, 다 (2) 가, 다 **2** 영빈, 현우 **3** 9가지

4 (1) 가, 나, 라 또는 나, 다, 라 (2) 가, 다, 라

1 (1)

나 → → 다

(2)

가 → → 다

2 영빈:

→

현우:

→

3

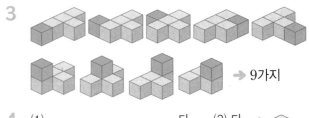

→ 9가지

4 (1)

라 → 가

다 라

→ 나

(2) 다

가

라

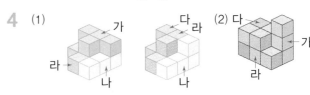

5일 개념·원리 길잡이 **74**쪽~**75**쪽

활동 문제 **74**쪽

① $\dfrac{2}{5}, \dfrac{1}{2}$ / $\dfrac{1}{2}, \dfrac{2}{5}$ **②** $\dfrac{1}{3}, \dfrac{1}{5}$ / $\dfrac{1}{5}, \dfrac{1}{3}$

③ $\dfrac{1}{6}, \dfrac{3}{5}$ / $\dfrac{3}{5}, \dfrac{1}{6}$

활동 문제 **75**쪽

① 27, 35 / 35, 27   **②** 40, 33 / 33, 40

③ 25, 36 / 36, 25

활동 문제 **74**쪽

곱셈식을 비례식으로 나타낼 때에는 곱한 두 수의 순서를 바꾸어 씁니다.

활동 문제 **75**쪽

맞물려 돌아가는 두 톱니바퀴의 톱니 수의 비가 ■ : ●라면 회전수의 비는 ● : ■입니다.

5일 서술형 길잡이 독해력 길잡이 **76**쪽~**77**쪽

1-1 예 1 : 2

1-2 (1) $\dfrac{3}{10}, \dfrac{2}{5}$ / $\dfrac{2}{5}, \dfrac{3}{10}$ (2) 예 4 : 3

1-3 $\dfrac{2}{9}, \dfrac{4}{7}$ / $\dfrac{4}{7}, \dfrac{2}{9}$, 예 18 : 7

2-1 예 3 : 4

2-2 맞물려 돌아가는 두 톱니바퀴 ㉮와 ㉯가 있습니다. ㉮의 톱니 수는 30개, ㉯의 톱니 수는 40개일 때, ㉮와 ㉯의 회전수의 비를 간단한 자연수의 비로 나타내어 보세요.

예 4 : 3

2-3 예 3 : 2

1-1 ㉮$\times \dfrac{2}{3} =$ ㉯$\times \dfrac{1}{3}$

→ ㉮ : ㉯ $= \dfrac{1}{3} : \dfrac{2}{3}$ → $\left(\dfrac{1}{3} \times 3\right) : \left(\dfrac{2}{3} \times 3\right)$ → 1 : 2

1-2 (2) $\dfrac{2}{5} : \dfrac{3}{10}$ → $\left(\dfrac{2}{5} \times 10\right) : \left(\dfrac{3}{10} \times 10\right)$ → 4 : 3

1-3 $\dfrac{4}{7} : \dfrac{2}{9} \Rightarrow \left(\dfrac{4}{7} \times 63\right) : \left(\dfrac{2}{9} \times 63\right) \Rightarrow 36 : 14$
$\Rightarrow (36 \div 2) : (14 \div 2) \Rightarrow 18 : 7$

2-1 (㉮의 톱니 수) : (㉯의 톱니 수)＝32 : 24이므로
(㉮의 회전수) : (㉯의 회전수)＝24 : 32입니다.
24 : 32 ⇒ (24÷8) : (32÷8) ⇒ 3 : 4

2-2 (㉮의 톱니 수) : (㉯의 톱니 수)＝30 : 40이므로
(㉮의 회전수) : (㉯의 회전수)＝40 : 30입니다.
40 : 30 ⇒ (40÷10) : (30÷10) ⇒ 4 : 3

2-3 톱니 수의 비와 회전수의 비는 두 수가 서로 바뀌므로
(㉮의 회전수) : (㉯의 회전수)＝6 : 9이면
(㉮의 톱니 수) : (㉯의 톱니 수)＝9 : 6입니다.
9 : 6 ⇒ (9÷3) : (6÷3) ⇒ 3 : 2

5일 사고력·코딩 78쪽~79쪽

1 (1) 예 4 : 3 (2) 예 9 : 20
2 예 3 : 5   3 예 6 : 7
4 예 3 : 5   5 예 5 : 2
6 예 16 : 23

1 (1) ㉮ : ㉯＝2 : 1.5
$\Rightarrow (2 \times 10) : (1.5 \times 10) \Rightarrow 20 : 15$
$\Rightarrow (20 \div 5) : (15 \div 5) \Rightarrow 4 : 3$

(2) ㉮ : ㉯＝1.2 : 2$\dfrac{2}{3}$
$\Rightarrow (1.2 \times 30) : \left(\dfrac{8}{3} \times 30\right) \Rightarrow 36 : 80$
$\Rightarrow (36 \div 4) : (80 \div 4) \Rightarrow 9 : 20$

2 24 %를 분수로 나타내면 $\dfrac{24}{100} = \dfrac{6}{25}$이므로
㉮ $\times \dfrac{2}{5}$＝㉯ $\times \dfrac{6}{25}$입니다.
㉮ : ㉯＝$\dfrac{6}{25} : \dfrac{2}{5}$
$\Rightarrow \left(\dfrac{6}{25} \times 25\right) : \left(\dfrac{2}{5} \times 25\right) \Rightarrow 6 : 10$
$\Rightarrow (6 \div 2) : (10 \div 2) \Rightarrow 3 : 5$

3 (여학생 수)＝(남학생 수)$\times \dfrac{6}{7}$이므로
(여학생 수) : (남학생 수)＝$\dfrac{6}{7} : 1$입니다.
$\dfrac{6}{7} : 1 \Rightarrow \left(\dfrac{6}{7} \times 7\right) : (1 \times 7) \Rightarrow 6 : 7$

4 (㉮의 회전수) : (㉯의 회전수)＝45 : 27이므로
(㉮의 톱니 수) : (㉯의 톱니 수)＝27 : 45입니다.
27 : 45 ⇒ (27÷9) : (45÷9) ⇒ 3 : 5

5 (지구의 반지름)＝(수성의 반지름)×2.50이므로
(지구의 반지름) : (수성의 반지름)＝2.5 : 1입니다.
2.5 : 1 ⇒ (2.5×10) : (1×10) ⇒ 25 : 10
$\Rightarrow (25 \div 5) : (10 \div 5) \Rightarrow 5 : 2$

6 15 %를 소수로 나타내면 0.15이고 20 %를 소수로 나타내면 0.2입니다.
㉮＋㉮×0.15＝㉯－㉯×0.20이므로
㉮×1.15＝㉯×0.8, ㉮ : ㉯＝0.8 : 1.15입니다.
㉮ : ㉯＝0.8 : 1.15
$\Rightarrow (0.8 \times 100) : (1.15 \times 100) \Rightarrow 80 : 115$
$\Rightarrow (80 \div 5) : (115 \div 5) \Rightarrow 16 : 23$

2주 특강 창의·융합·코딩 80쪽~85쪽

1
2 딸기, 복숭아, 수박, 바나나
3 예 5 : 8   4 19개   5 나
6 ① 예   ② 예
7 30개
8   9   10 3개

2 ❶ 1.4 : $\dfrac{2}{5}$ $\Rightarrow (1.4 \times 10) : \left(\dfrac{2}{5} \times 10\right) \Rightarrow 14 : 4$
$\Rightarrow (14 \div 2) : (4 \div 2) \Rightarrow 7 : 2 \Rightarrow$ 딸기
❷ 42 : 24 ⇒ (42÷6) : (24÷6) ⇒ 7 : 4 ⇒ 복숭아
❸ ㉮×2＝㉯×3 ⇒ ㉮ : ㉯＝3 : 2 ⇒ 수박
❹ ㉮와 ㉯의 회전수의 비는 톱니 수의 비에서 두 수를 바꾸면 되므로 37 : 48입니다. ⇒ 바나나

3 1 : 1.6 ⇒ (1×10) : (1.6×10) ⇒ 10 : 16
$\Rightarrow (10 \div 2) : (16 \div 2) \Rightarrow 5 : 8$

4 1층에 쌓은 모양은 위에서 본 모양과 같습니다.
■에 4를 넣어 보면
$\Rightarrow 4＋3＋4＋3＋4＋1＝19$(개)

5 가 ➡ 12 : 10 ➡ (12÷2) : (10÷2) ➡ 6 : 5
나 ➡ 12 : 22 ➡ (12÷2) : (22÷2) ➡ 6 : 11
다 ➡ 18 : 22 ➡ (18÷2) : (22÷2) ➡ 9 : 11

6 ① 예

② 예

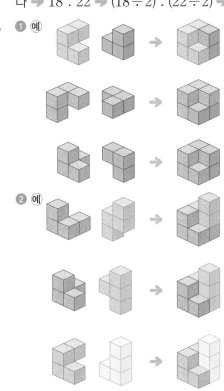

7 어떤 방향에서 보아도 보이지 않는 쌓기나무는 6층에 0개, 5층에 0개, 4층에 1개, 3층에 4개, 2층에 9개, 1층에 16개이므로 모두 30개입니다.

8

앞에서 본 모양을 보면 ㉠과 ㉡에는 1개 또는 2개를 쌓을 수 있습니다.

㉠+㉡=10−1−1−3−1=4에서
㉠=2, ㉡=2입니다.

9

위, 앞, 옆에서 본 모양의 변화가 없어야 하므로 ㉠ 자리에 쌓기나무를 1개 더 쌓을 수 있습니다.

10

위, 앞, 옆에서 본 모양이 변하지 않게 가장 많이 빼낼 수 있는 쌓기나무는 다음처럼 색칠한 쌓기나무 3개입니다.

또는   또는

누구나 100점 TEST **86쪽~87쪽**

1 다   **2** 가

3 12개   **4** 15개

5 10개

6

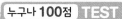 또는

7 예 5 : 3   **8** 예 1 : 2

1 가 2층   나 2층   다 2층

가와 나의 ×표 한 자리에는 1층에 쌓기나무가 없으므로 2층에 쌓을 수 없습니다.

2 가: 위, 앞, 옆 어느 방향으로도 넣을 수 없습니다.
나: 앞에서 보는 방향으로 넣을 수 있습니다.
다: 위, 앞, 옆에서 보는 방향으로 넣을 수 있습니다.

3

(쌓은 쌓기나무의 개수)
=3+3+2+3+1+1+2=15(개)

(가장 작은 정육면체 모양을 만드는 데 필요한 쌓기나무의 개수)
=3×3×3=27(개)

➡ (더 필요한 쌓기나무의 개수)=27−15
=12(개)

4

(쌓은 쌓기나무의 개수)
=3+2+1+3+1+2=12(개)

(가장 작은 정육면체 모양을 만드는 데 필요한 쌓기나무의 개수)
=3×3×3=27(개)

➡ (더 필요한 쌓기나무의 개수)=27−12
=15(개)

5

쌓기나무가 가장 적을 때는 ★표 자리에 쌓기나무가 1개 쌓여 있을 때이므로 필요한 쌓기나무는 10개입니다.

7 ㉮×$\frac{1}{5}$=㉯×$\frac{1}{3}$이므로 ㉮ : ㉯=$\frac{1}{3}$: $\frac{1}{5}$입니다.

$\frac{1}{3}$: $\frac{1}{5}$ ➡ $\left(\frac{1}{3}×15\right)$: $\left(\frac{1}{5}×15\right)$ ➡ 5 : 3

8 ㉮와 ㉯의 톱니 수의 비가 56 : 28이므로 ㉮와 ㉯의 회전수의 비는 28 : 56입니다.

28 : 56 ➡ (28÷28) : (56÷28) ➡ 1 : 2

3주

3주에는 무엇을 공부할까? ②　　90쪽~91쪽

1-1 9, 12

1-2 2 : 1＝8 : 4 또는 8 : 4＝2 : 1

2-1 ㉡　　　　2-2 ㉡

3-1 56　　　　3-2 $\dfrac{9}{10}$

4-1 12, 8　　　4-2 160, 200

5-1 47.1 cm　　5-2 62.8 cm

6-1 12　　　　6-2 8

1-1 $3 : 4 \Rightarrow \boxed{\dfrac{3}{4}}$, $4 : 3 \Rightarrow \dfrac{4}{3}$, $8 : 6 \Rightarrow \dfrac{8}{6}＝\dfrac{4}{3}$,

$9 : 12 \Rightarrow \dfrac{9}{12}＝\dfrac{3}{4}$

3 : 4와 9 : 12의 비율이 같으므로 비례식으로 나타낼 수 있습니다. ➡ 3 : 4＝9 : 12

1-2 $2 : 1 \Rightarrow \dfrac{2}{1}＝2$, $5 : 3 \Rightarrow \dfrac{5}{3}$, $8 : 4 \Rightarrow \dfrac{8}{4}＝2$,

$3 : 6 \Rightarrow \dfrac{3}{6}＝\dfrac{1}{2}$

2 : 1과 8 : 4의 비율이 같으므로 비례식으로 나타낼 수 있습니다. ➡ 2 : 1＝8 : 4 또는 8 : 4＝2 : 1

2-1 외항의 곱과 내항의 곱이 같은지 알아봅니다.

㉠ $3 \times 3＝9$, $2 \times 2＝4$ (×)

㉡ $6 \times 2＝12$, $4 \times 3＝12$ (○)

2-2 외항의 곱과 내항의 곱이 같은지 알아봅니다.

㉠ $0.7 \times 5＝3.5$, $0.2 \times 8＝1.6$ (×)

㉡ $\dfrac{1}{2} \times 4＝2$, $\dfrac{1}{8} \times 16＝2$ (○)

3-1 $5 \times \square＝7 \times 40$, $5 \times \square＝280$, $\square＝56$

3-2 $\dfrac{3}{4} \times 6＝\square \times 5$, $\square \times 5＝\dfrac{9}{2}$,

$\square＝\dfrac{9}{2} \div 5＝\dfrac{9}{2} \times \dfrac{1}{5}＝\dfrac{9}{10}$

4-1 가: $20 \times \dfrac{3}{3+2}＝12$, 나: $20 \times \dfrac{2}{3+2}＝8$

4-2 가: $360 \times \dfrac{4}{4+5}＝160$, 나: $360 \times \dfrac{5}{4+5}＝200$

5-1 (원주)＝(지름)×(원주율)＝15×3.14＝47.1 (cm)

5-2 (원주)＝(지름)×(원주율)＝(반지름)×2×(원주율)

＝10×2×3.14＝62.8 (cm)

6-1 (지름)＝(원주)÷(원주율)＝37.2÷3.1＝12 (cm)

6-2 (반지름)＝(원주)÷(원주율)÷2

＝49.6÷3.1÷2＝8 (cm)

1일 개념·원리 길잡이　　92쪽~93쪽

활동 문제 92쪽

❶ 3 : 2＝30 : ■에 ○표　❷ 3 : 2＝48 : ■에 ○표

❸ 3 : 2＝■ : 24에 ○표　❹ 3 : 2＝■ : 18에 ○표

활동 문제 93쪽

❶ 2 : 15＝3 : □, 2 : 3＝15 : □에 ○표

❷ 5 : 24＝□ : 72, 5 : □＝24 : 72에 ○표

활동 문제 92쪽

비의 전항에 가로를 놓고 비의 후항에 세로를 놓아 비례식을 세운 것을 찾습니다.

활동 문제 93쪽

❶ 3시간 동안 가는 거리를 □km라 합니다.

방법1 시간과 거리의 비율이 같음을 이용

➡ 2 : 15＝3 : □

방법2 시간의 비율과 거리의 비율이 같음을 이용

➡ 2 : 3＝15 : □

❷ 72km를 가는 데 걸리는 시간을 □시간이라 합니다.

방법1 시간과 거리의 비율이 같음을 이용

➡ 5 : 24＝□ : 72

방법2 시간의 비율과 거리의 비율이 같음을 이용

➡ 5 : □＝24 : 72

1일 서술형 길잡이 독해력 길잡이　　94쪽~95쪽

1-1 96개

1-2 (1) 예 7 : 2＝280 : □　(2) 80 g

1-3 48, 48, 240, 40, 40

2-1 445 km

2-2 어떤 사람이 5일 동안 일을 하고 45만 원을 받았습니다. 이 사람이 9일 동안 일을 하면 얼마를 받겠는지 구해 보세요.

81만 원

2-3 예 10 : 44＝□ : 330, 예 10 : □＝44 : 330,

75 L

6단계 B • **19**

1-1 과일 가게에 있는 귤의 수를 □개라 하고 비례식을 세우면 3 : 4=72 : □입니다.

➡ 3×□=4×72, 3×□=288, □=96

1-2 넣은 잡곡의 양을 □ g이라 하고 비례식을 세우면 7 : 2=280 : □입니다.

➡ 7×□=2×280, 7×□=560, □=80

1-3 비 5 : 6에서 재우가 가진 구슬 수를 전항에 놓고 상엽이가 가진 구슬 수를 후항에 놓았으므로 재우가 가진 구슬 수 ■를 전항에 놓고 상엽이가 가진 구슬 수 48을 후항에 놓아 비례식을 세웁니다.

2-1 자동차가 5시간 동안 달릴 수 있는 거리를 □ km라 하고 비례식을 세우면 3 : 267=5 : □입니다.

➡ 3×□=267×5, 3×□=1335, □=445

┌ 다른 풀이 ┐
비례식 3 : 5=267 : □로 세울 수도 있습니다.
➡ 3×□=5×267, 3×□=1335, □=445
└────┘

2-2 9일 동안 일을 하고 받는 돈을 □원이라 하고 비례식을 세우면 5 : 45만=9 : □입니다.

➡ 5×□=45만×9, 5×□=405만, □=81만

┌ 다른 풀이 ┐
비례식을 5 : 9=45만 : □로 세울 수도 있습니다.
➡ 5×□=9×45만, 5×□=405만, □=81만
└────┘

2-3 소금 330 g을 얻기 위해 증발시켜야 하는 바닷물의 양을 □ L라 하고 비례식을 세웁니다.

10 : 44=□ : 330	10 : □=44 : 330
10×330=44×□	10×330=□×44
44×□=3300	□×44=3300
□=75	□=75

따라서 바닷물 75 L를 증발시켜야 합니다.

1일 사고력·코딩 **96쪽~97쪽**

1 100번

2 (1) 800원 (2) 10000원

3 6시 9분 **4** 120 m

1 250타수 중에서 치는 안타 수를 □번이라 하고 비례식을 세우면 10 : 4=250 : □입니다.

➡ 10×□=4×250, 10×□=1000, □=100

---

2 (1) 초등학생 1명의 입장료를 □원이라 하고 비례식을 세우면 5 : 2=2000 : □입니다.

➡ 5×□=2×2000, 5×□=4000, □=800

(2) 2000×3+800×5=6000+4000=10000(원)

3 하루는 24시간이므로 오늘 오후 3시부터 내일 오후 6시까지 27시간 동안 빨라지는 시간을 □분이라 하고 비례식을 세우면 24 : 8=27 : □입니다.

➡ 24×□=8×27, 24×□=216, □=9

따라서 9분 빨라지므로 오후 6시의 9분 후인 오후 6시 9분을 가리킵니다.

4 1 mm=0.1 cm이고 실제 활주로의 폭을 □ km라 하고 비례식을 세우면 6 : 5=□ : 0.1입니다.

➡ 6×0.1=5×□, 5×□=0.6, □=0.12

따라서 실제 활주로의 폭은 0.12 km=120 m입니다.

2일 개념·원리 길잡이 **98쪽~99쪽**

활동 문제 98쪽
❶ 예 3, 2   ❷ 예 3, 4
❸ 예 1, 2   ❹ 예 2, 3

활동 문제 99쪽
❶ 예 1, 2 / 1 : 2=4 : ■에 ○표
❷ 예 4, 3 / 4 : 3=■ : 24에 ○표

활동 문제 98쪽

평행선 사이의 거리를 □ cm라 하고 비를 알아봅니다.

❶ (가의 넓이) : (나의 넓이)=(3×□) : (2×□)
➡ (3×□÷□) : (2×□÷□) ➡ 3 : 2

❷ (다의 넓이) : (라의 넓이)=(3×□) : (4×□)
➡ (3×□÷□) : (4×□÷□) ➡ 3 : 4

❸ (마의 넓이) : (바의 넓이)=(2×□÷2) : (4×□÷2)
➡ □ : (2×□) ➡ (■÷□) : (2×□÷□) ➡ 1 : 2

❹ (사의 넓이) : (아의 넓이)=(4×□÷2) : (6×□÷2)
➡ (2×□) : (3×□) ➡ (2×□÷□) : (3×□÷□)
➡ 2 : 3

활동 문제 99쪽

❶ (㉮의 톱니 수) : (㉯의 톱니 수)=38 : 19
➡ (38÷19) : (19÷19) ➡ 2 : 1이므로
(㉮의 회전수) : (㉯의 회전수)=1 : 2입니다.

❷ (㉮의 톱니 수) : (㉯의 톱니 수)=24 : 32
➡ (24÷8) : (32÷8) ➡ 3 : 4이므로
(㉮의 회전수) : (㉯의 회전수)=4 : 3입니다.

2일 서술형 길잡이 독해력 길잡이 **100**쪽~**101**쪽

1-1 예 5 : 4 　　　　**1**-2 예 3 : 7

1-3 가로에 ○표, 5, 예 13 : 10

2-1 10바퀴

2-2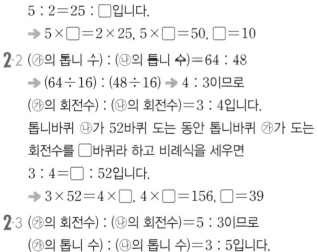

맞물려 돌아가는 두 톱니바퀴 ㉮, ㉯가 있습니다. ㉮의 톱니 수는 64개, ㉯의 톱니 수는 48개입니다. 톱니바퀴 ㉯가 52바퀴 도는 동안 톱니바퀴 ㉮는 몇 바퀴 돌게 되는지 구해 보세요.

39바퀴

2-3 300개

1-1 평행선 사이의 거리를 □ cm라 하면
(가의 넓이) : (나의 넓이)=(5×□) : (8×□÷2)
　➡ (5×□) : (4×□)
　➡ (5×□÷□) : (4×□÷□) ➡ 5 : 4

1-2 평행선 사이의 거리를 □ cm라 하면
(가의 넓이) : (나의 넓이)=(6×□÷2) : (7×□)
　➡ (3×□) : (7×□)
　➡ (3×□÷□) : (7×□÷□) ➡ 3 : 7

1-3 두 직사각형의 세로가 같으므로 넓이의 비는 가로의 비와 같습니다.
6.5 : 5 ➡ (6.5×10) : (5×10) ➡ 65 : 50
　　　　➡ (65÷5) : (50÷5) ➡ 13 : 10

2-1 (㉮의 톱니 수) : (㉯의 톱니 수)=18 : 45
　➡ (18÷9) : (45÷9) ➡ 2 : 5이므로
(㉮의 회전수) : (㉯의 회전수)=5 : 2입니다.
톱니바퀴 ㉮가 25바퀴 도는 동안 톱니바퀴 ㉯가 도는 회전수를 □바퀴라 하고 비례식을 세우면
5 : 2=25 : □입니다.
　➡ 5×□=2×25, 5×□=50, □=10

2-2 (㉮의 톱니 수) : (㉯의 톱니 수)=64 : 48
　➡ (64÷16) : (48÷16) ➡ 4 : 3이므로
(㉮의 회전수) : (㉯의 회전수)=3 : 4입니다.
톱니바퀴 ㉯가 52바퀴 도는 동안 톱니바퀴 ㉮가 도는 회전수를 □바퀴라 하고 비례식을 세우면
3 : 4=□ : 52입니다.
　➡ 3×52=4×□, 4×□=156, □=39

2-3 (㉮의 회전수) : (㉯의 회전수)=5 : 3이므로
(㉮의 톱니 수) : (㉯의 톱니 수)=3 : 5입니다.
㉯의 톱니 수를 □개라 하고 비례식을 세우면
3 : 5=180 : □입니다.
　➡ 3×□=5×180, 3×□=900, □=300

2일 사고력·코딩 **102**쪽~**103**쪽

1 예 4 : 5 　　　　**2** (1) 39개 (2) ㉮, 13개

3 (1) 48바퀴, 56바퀴 (2) 예 7 : 6 (3) 63개

4 6

1 평행선 사이의 거리를 □ cm라 하면
(가의 넓이)=8×□÷2=4×□ (cm²),
(나의 넓이)=(4+6)×□÷2=5×□ (cm²)입니다.
(가의 넓이) : (나의 넓이)=(4×□) : (5×□)
　➡ (4×□÷□) : (5×□÷□) ➡ 4 : 5

2 (1) (㉮의 회전수) : (㉯의 회전수)=12 : 18 ➡ 2 : 3
(㉮의 톱니 수) : (㉯의 톱니 수)=3 : 2
㉮의 톱니 수를 □개라 하고 비례식을 세우면
3 : 2=□ : 26입니다.
　➡ 3×26=2×□, 2×□=78, □=39
(2) ㉮의 톱니 수가 39−26=13(개) 더 많습니다.

3 (1) ㉮: 240÷5=48(바퀴), ㉯: 448÷8=56(바퀴)
(2) (㉮의 회전수) : (㉯의 회전수)=48 : 56 ➡ 6 : 7
(㉮의 톱니 수) : (㉯의 톱니 수)=7 : 6
(3) ㉮의 톱니 수를 □개라 하고 비례식을 세우면
7 : 6=□ : 54입니다.
　➡ 7×54=6×□, 6×□=378, □=63

4 평행사변형의 높이와 직사각형의 세로는 모두 평행선 사이의 거리와 같습니다. 따라서 평행사변형과 직사각형의 넓이의 비는 평행사변형의 밑변의 길이와 직사각형의 가로의 비와 같으므로 10 : □입니다.
5 : 3=10 : □ ➡ 5×□=3×10, □=6
따라서 직사각형의 가로는 6 cm입니다.

3일 개념·원리 길잡이 **104**쪽~**105**쪽

활동 문제 **104**쪽

❶ 예 2 : 3, 예 $\frac{2}{2+3}$, 200만 / 예 $\frac{3}{2+3}$, 300만

❷ 예 4 : 3, 예 $\frac{4}{4+3}$, 360만 / 예 $\frac{3}{4+3}$, 270만

활동 문제 **105**쪽

❶ 예 5 : 3 / 예 $\frac{5}{5+3}$, 400만

❷ 예 4 : 7 / 예 $\frac{7}{4+7}$, 880만

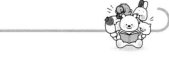

정답 및 해설

❶ A, B 회사가 투자한 금액의 비 ➡ 2000만 : 3000만
➡ (2000만÷1000만) : (3000만÷1000만) ➡ 2 : 3

❷ C, D 회사가 투자한 금액의 비 ➡ 8000만 : 6000만
➡ (8000만÷2000만) : (6000만÷2000만) ➡ 4 : 3

❶ A, B 회사가 투자한 금액의 비 ➡ 5000만 : 3000만
➡ (5000만÷1000만) : (3000만÷1000만) ➡ 5 : 3

❷ C, D 회사가 투자한 금액의 비 ➡ 4000만 : 7000만
➡ (4000만÷1000만) : (7000만÷1000만) ➡ 4 : 7

3일 서술형 길잡이 독해력 길잡이 **106쪽~107쪽**

1-1 100만 원

1-2 (1) 예 1 : 2 (2) 140만 원, 280만 원

1-3 예 5 : 2, 예 $\frac{5}{7}$, 175만, 예 $\frac{2}{7}$, 70만

2-1 60만 원

2-2 ㉮와 ㉯ 두 사람이 각각 800만 원, 600만 원을 투자하여 얻은 이익금을 투자한 금액의 비로 나누어 가졌습니다. ㉯가 가진 이익금이 180만 원일 때, 전체 이익금은 얼마인지 구해 보세요.

420만 원

2-3 156 cm

1-1 갑과 을이 투자한 금액의 비 ➡ 250만 : 200만
➡ (250만÷50만) : (200만÷50만) ➡ 5 : 4
(갑의 이익금)=180만×$\frac{5}{5+4}$=100만 (원)

1-2 (1) 갑과 을이 투자한 금액의 비 ➡ 500만 : 1000만
➡ (500만÷500만) : (1000만÷500만) ➡ 1 : 2
(2) (갑의 이익금)=420만×$\frac{1}{1+2}$=140만 (원)
(을의 이익금)=420만×$\frac{2}{1+2}$=280만 (원)

1-3 갑과 을이 투자한 금액의 비 ➡ 800만 : 320만
➡ (800만÷160만) : (320만÷160만) ➡ 5 : 2
(갑의 이익금)=245만×$\frac{5}{5+2}$=175만 (원)
(을의 이익금)=245만×$\frac{2}{5+2}$=70만 (원)

2-1 ㉮와 ㉯가 투자한 금액의 비 ➡ 500만 : 700만
➡ (500만÷100만) : (700만÷100만) ➡ 5 : 7
(전체 이익금)=25만÷$\frac{5}{5+7}$=60만 (원)

2-2 ㉮와 ㉯가 투자한 금액의 비 ➡ 800만 : 600만
➡ (800만÷200만) : (600만÷200만) ➡ 4 : 3
➡ (전체 이익금)=180만÷$\frac{3}{4+3}$=420만 (원)

2-3 (머리부터 배꼽까지의 길이) : (배꼽부터 발까지의 길이)
=6 : 7
➡ (머리부터 발까지 전체 길이)=72÷$\frac{6}{6+7}$
=156 (cm)

3일 사고력·코딩 **108쪽~109쪽**

1 456장, 532장   2 60°, 30°

3 (1) 420 (2) 140

4 (1) 100 cm (2) 70 cm, 30 cm (3) 2100 cm²

5 (1) 예 3 : 4 (2) 385 cm²

1 1반과 2반의 학생 수의 비 ➡ 18 : 21
➡ (18÷3) : (21÷3) ➡ 6 : 7
1반의 색종이 수: 988×$\frac{6}{6+7}$=456(장)
2반의 색종이 수: 988×$\frac{7}{6+7}$=532(장)

2 삼각형의 세 각의 크기의 합은 180°이므로
㉠+㉡=180°−90°=90°입니다.
따라서 90°를 2 : 1로 비례배분합니다.
㉠=90°×$\frac{2}{2+1}$=60°, ㉡=90°×$\frac{1}{2+1}$=30°

3 (1) 120÷$\frac{2}{2+5}$=420 (2) 420×$\frac{1}{2+1}$=140

4 (1) (가로)+(세로)=(둘레)÷2
=200÷2=100 (cm)
(2) 가로와 세로의 합 100 cm를 7 : 3으로 비례배분합니다.
➡ (가로)=100×$\frac{7}{7+3}$=70 (cm)
(세로)=100×$\frac{3}{7+3}$=30 (cm)
(3) 70×30=2100 (cm²)

5 (1) 삼각형 ㄱㄴㄹ과 삼각형 ㄱㄹㄷ의 높이가 같으므로 두 삼각형의 넓이의 비는 밑변의 길이의 비와 같은 3 : 4입니다.
(2) 220÷$\frac{4}{3+4}$=385 (cm²)

4일 | 개념·원리 | 길잡이   **110**쪽~**111**쪽

활동 문제 **110**쪽   활동 문제 **111**쪽

❶ 2, 31.2

❷ 3, 20.8

❸ 62.4, 4, 15.6

❹ 62.4, 6, 10.4

활동 문제 **110**쪽

❶ (페퍼로니 1개의 둘레)=(피자 도우의 둘레)÷2

                     =62.4÷2=31.2 (cm)

❷ (페퍼로니 1개의 둘레)=(피자 도우의 둘레)÷3

                     =62.4÷3=20.8 (cm)

❸ (페퍼로니 1개의 둘레)=(피자 도우의 둘레)÷4

                     =62.4÷4=15.6 (cm)

❹ (페퍼로니 1개의 둘레)=(피자 도우의 둘레)÷6

                     =62.4÷6=10.4 (cm)

활동 문제 **111**쪽

곡선 부분의 길이가 원주의 몇 분의 몇인지 알아보면 다음과 같습니다.

$$\frac{180}{360}=\frac{1}{2},\ \frac{60}{360}=\frac{1}{6},\ \frac{150}{360}=\frac{5}{12},\ \frac{270}{360}=\frac{3}{4}$$

4일 | 서술형 길잡이 | 독해력 길잡이   **112**쪽~**113**쪽

1-1 3 cm   **1**-2 (1) 12.56 cm (2) 2 cm

1-3 같습니다에 ○표, 56.52, 56.52, 3.14, 18

2-1 42.6 cm

2-2 밑면의 반지름이 4 cm인 원 모양의 참치 캔 4개를 그림과 같이 끈으로 한 바퀴 돌려 묶었습니다. 사용한 끈의 길이는 몇 cm인지 구해 보세요. (단, 매듭을 짓는 데 사용한 끈의 길이는 생각하지 않습니다.) (원주율: 3.14)

     (1) 25.12 cm, 32 cm (2) 57.12 cm

1-1 (빨간색 원 1개의 원주)=(파란색 원의 원주)÷3

                    =27.9÷3=9.3 (cm)

   (빨간색 원의 지름)=9.3÷3.1=3 (cm)

1-2 (1) (빨간색 원 1개의 원주)=(파란색 원의 원주)÷4

                      =50.24÷4=12.56 (cm)

   (2) (빨간색 원의 반지름)=12.56÷3.14÷2

                     =2 (cm)

1-3 (파란색 원의 원주)=(빨간색 원 3개의 원주의 합)

                  =56.52 cm

  ➡ (파란색 원의 지름)=56.52÷3.14=18 (cm)

2-1

(곡선 부분)=(반지름이 3 cm인 원의 원주)

         =3×2×3.1=18.6 (cm)

(직선 부분)=12×2=24 (cm)

➡ (사용한 끈의 길이)=18.6+24=42.6 (cm)

2-2 (1)   (곡선 부분)

         =(반지름이 4 cm인 원의 원주)

         =4×2×3.14=25.12 (cm)

        (직선 부분)=8×4=32 (cm)

  (2) 25.12+32=57.12 (cm)

4일 | 사고력·코딩   **114**쪽~**115**쪽

1 (1) 18.84 cm   (2) 36 cm   (3) 54.84 cm

2 22 cm   **3** 182 cm   **4** 50.24 cm

1 (1) (곡선 부분)=(반지름이 6 cm인 반원의 곡선 부분)

             =6×2×3.14÷2=18.84 (cm)

  (2) (직선 부분)=6×6=36 (cm)

  (3) 18.84+36=54.84 (cm)

2 파란색 반원의 지름과 초록색 두 반원의 지름의 합이 같으므로 파란색 선의 길이는 초록색 선의 길이와 같은 33 cm입니다.

  ➡ (파란색 반원의 지름)=(원주)÷(원주율)

                 =$\underset{원주}{33×2}$÷3=22 (cm)

3

(곡선 부분)

=(지름이 20 cm인 원의 원주)

=20×3.1=62 (cm)

(직선 부분)=40×3=120 (cm)

➡ (필요한 끈의 길이)=62+120=182 (cm)

4 (색칠한 부분의 둘레)

작은 두 반원의 지름의 합이 가장 큰 반원의 지름과 같으므로 굵게 표시한 부분의 길이는 가장 큰 반원의 곡선 부분의 길이와 같습니다.

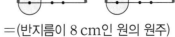

=(반지름이 8 cm인 원의 원주)

=8×2×3.14=50.24 (cm)

5일 개념·원리 길잡이 116쪽~117쪽

활동 문제 116쪽

❶ 480 ❷ 525

활동 문제 117쪽

4바퀴 / $4.5\left(=4\dfrac{1}{2}\right)$바퀴 또는 4바퀴 반 / 18바퀴

활동 문제 116쪽

❶ 굴렁쇠가 2바퀴 굴러갔으므로 굴러간 거리는
$\underset{\text{원주}}{80\times3}\times\underset{\text{바퀴 수}}{2}=480$ (cm)입니다.

❷ 굴렁쇠가 3바퀴 반 굴러갔으므로 굴러간 거리는
$\underset{\text{원주}}{50\times3}\times\underset{\text{바퀴 수}}{3.5}=525$ (cm)입니다.

활동 문제 117쪽

자전거가 움직인 거리를 바퀴의 원주로 나누어 봅니다.
- 앞바퀴: $540\div(45\times3)$
$\qquad\qquad=540\div135=4$(바퀴)
- 뒷바퀴: $540\div(40\times3)$
$\qquad\qquad=540\div120=4.5$(바퀴)
- 보조 바퀴: $540\div(10\times3)$
$\qquad\qquad\qquad=540\div30=18$(바퀴)

5일 서술형 길잡이 독해력 길잡이 118쪽~119쪽

1-1 186 cm

1-2 (1) 240 cm (2) 240 cm (3) 840 cm

2-1 $1.25\left(=1\dfrac{1}{4}\right)$바퀴

2-2

호진이 동생이 걸음마 보조기로 걷는 동안 앞바퀴가 20바퀴 돌았습니다. 뒷바퀴는 몇 바퀴 돌았는지 구해 보세요. (원주율: 3)

30바퀴

1-1 콜라 캔이 한 바퀴 굴러가면 굴러간 거리는
$6\times3.1=18.6$ (cm)이므로 10바퀴 굴러가면 굴러간 거리는 $18.6\times10=186$ (cm)입니다.

1-2 (1) $80\times3=240$ (cm)

(2) 한 바퀴 굴러가면 굴러간 거리는 훌라후프의 원주와 같습니다.

(3) $240\times3.5=840$ (cm)

2-1 앞바퀴가 한 바퀴 도는 동안 장난감 오토바이가 움직인 거리는 $5\times3=15$ (cm)입니다.
뒷바퀴의 원주는 $4\times3=12$ (cm)이므로 12 cm를 움직일 때마다 뒷바퀴는 한 바퀴 돕니다.
따라서 뒷바퀴는 15 cm를 움직이는 동안
$15\div12=1.25$(바퀴)를 돕니다.

2-2 앞바퀴가 20바퀴 도는 동안 $15\times3\times20=900$ (cm)를 걷습니다.
뒷바퀴의 원주는 $10\times3=30$ (cm)이므로 30 cm 걸을 때마다 뒷바퀴는 한 바퀴 돕니다.
따라서 뒷바퀴는 900 cm를 움직이는 동안
$900\div30=30$(바퀴) 돌았습니다.

5일 사고력·코딩 120쪽~121쪽

1 219.8 m 2 3768 cm

3 3바퀴 4 120바퀴

---

1 바퀴 자가 한 바퀴 돈 거리가
$70\times3.14=219.8$ (cm)이므로 100바퀴 돈 거리는
$219.8\times100=21980$ (cm)입니다.
따라서 집에서 학교까지의 거리는
21980 cm$=219.8$ m입니다.

2 쳇바퀴를 한 바퀴 돌 때 햄스터가 달린 거리는 쳇바퀴의 원주와 같습니다.
따라서 쳇바퀴를 50바퀴 돌았을 때 햄스터가 달린 거리는 $12\times2\times3.14\times50=3768$ (cm)입니다.

3 굴렁쇠를 한 바퀴 굴리면 $25\times2\times3=150$ (cm)만큼 굴러갑니다.
따라서 굴렁쇠가 450 cm만큼 굴러갔으면
$450\div150=3$(바퀴) 굴린 것입니다.

4 큰 바퀴가 60바퀴 도는 동안
$30\times2\times3.1\times60=11160$ (cm)를 움직입니다.
따라서 작은 바퀴는
$11160\div(15\times2\times3.1)=11160\div93=120$(바퀴)를 돕니다.

3주 특강 창의 · 융합 · 코딩 **122쪽~127쪽**

1

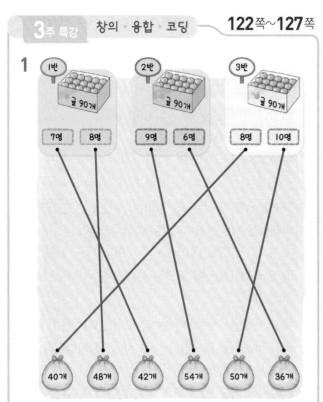

2

3 ⑩ 1 : 9＝□ : 27 / 3 kg

4 3750원, 2250원   **5** 8바퀴

6 8 cm   **7** 9, 4, 6

8 ❶ 3 cm ❷ 18.6 cm ❸ 18 cm ❹ 36.6 cm

9 (앞에서부터) 20 / 32 / 20

10 ㉡

---

1 반별로 각 모둠 학생 수에 따라 비례배분합니다.

- 1반: $90 \times \dfrac{7}{7+8} = 42$(개), $90 \times \dfrac{8}{7+8} = 48$(개)

- 2반: $90 \times \dfrac{9}{9+6} = 54$(개), $90 \times \dfrac{6}{9+6} = 36$(개)

- 3반: $90 \times \dfrac{8}{8+10} = 40$(개), $90 \times \dfrac{10}{8+10} = 50$(개)

2 · $3 : 6 = 2 : \square$

→ $3 \times \square = 6 \times 2$, $3 \times \square = 12$, $\square = 4$

· $8 : 4 = \square : 3$

→ $8 \times 3 = 4 \times \square$, $4 \times \square = 24$, $\square = 6$

· $20 : 8 = \square : 6$

→ $20 \times 6 = 8 \times \square$, $8 \times \square = 120$, $\square = 15$

3 녹여야 하는 소금의 무게를 □kg이라 하고 비례식을 세우면 $1 : 9 = \square : 27$입니다.

→ $1 \times 27 = 9 \times \square$, $9 \times \square = 27$, $\square = 3$

따라서 소금 3 kg을 녹여야 합니다.

4 피자값 6000원을 먹은 피자 조각의 수에 따라 나눕니다.

시현: $6000 \times \dfrac{5}{5+3} = 6000 \times \dfrac{5}{8} = 3750$(원)

여원: $6000 \times \dfrac{3}{5+3} = 6000 \times \dfrac{3}{8} = 2250$(원)

5 굴렁쇠가 한 바퀴 돌면 움직인 거리는
$75 \times 3.1 = 232.5$ (cm)이므로
18.6 m $= 1860$ cm를 움직이는 동안 굴렁쇠는
$1860 \div 232.5 = 8$(바퀴) 돌았습니다.

6 바퀴가 한 바퀴 돌아갈 때 바퀴의 바깥쪽 원주만큼 벨트가 돌아가므로 (바퀴의 바깥쪽 원주)＝(지나간 벨트의 길이)이고 큰 바퀴와 작은 바퀴가 돌아갈 때 지나간 벨트의 길이는 서로 같습니다.
따라서 큰 바퀴가 1바퀴 돌 때 작은 바퀴는 3바퀴 돌았으므로 (큰 바퀴의 바깥쪽 원주)＝(작은 바퀴의 바깥쪽 원주)×3입니다.
큰 바퀴의 바깥쪽 원주는 $24 \times 3.1 = 74.4$ (cm)이므로 작은 바퀴의 바깥쪽 원주는 $74.4 \div 3 = 24.8$ (cm)이고 지름은 $24.8 \div 3.1 = 8$ (cm)입니다.

7 $6 : ㉠ = ㉡ : ㉢$에서 $6 : ㉠$의 비율이 $\dfrac{2}{3}$이므로
$\dfrac{6}{㉠} = \dfrac{2}{3}$에서 $㉠ = 9$입니다.
내항의 곱이 36이면 외항의 곱도 36이므로
$9 \times ㉡ = 36$에서 $㉡ = 4$, $6 \times ㉢ = 36$에서 $㉢ = 6$입니다.

8 ❶ $6 \div 2 = 3 \,(\text{cm})$

❷ (곡선 부분의 길이의 합)

= (반지름이 3 cm인 원의 원주)

$= 3 \times 2 \times 3.1 = 18.6 \,(\text{cm})$

❸ $6 \times 3 = 18 \,(\text{cm})$

❹ $18.6 + 18 = 36.6 \,(\text{cm})$

9 ㉠과 ㉡의 넓이의 비는 $(6+4) \div 2 : 4 \rightarrow 5 : 4$이므로

㉠ 통로를 지나가는 구슬의 수는

$72 \times \dfrac{5}{5+4} = 72 \times \dfrac{5}{9} = 40(\text{개})$, ㉡ 통로를 지나가는

구슬의 수는 $72 \times \dfrac{4}{5+4} = 72 \times \dfrac{4}{9} = 32(\text{개})$입니다.

㉢과 ㉣의 넓이의 비는

$(3+5) \div 2 : 4 \rightarrow 4 : 4 \rightarrow 1 : 1$이므로

㉢ 통로를 지나가는 구슬의 수는

$40 \times \dfrac{1}{1+1} = 40 \times \dfrac{1}{2} = 20(\text{개})$,

㉣ 통로를 지나가는 구슬의 수는

$40 \times \dfrac{1}{1+1} = 40 \times \dfrac{1}{2} = 20(\text{개})$입니다.

㉤과 ㉥의 넓이의 비는 $3 : 5$이므로

㉤ 통로를 지나가는 구슬의 수는

$32 \times \dfrac{3}{3+5} = 32 \times \dfrac{3}{8} = 12(\text{개})$, ㉥ 통로를 지나가는

구슬의 수는 $32 \times \dfrac{5}{3+5} = 32 \times \dfrac{5}{8} = 20(\text{개})$입니다.

따라서 ㉮ $= 20$, ㉯ $= 20 + 12 = 32$, ㉰ $= 20$입니다.

10 시계가 한 바퀴 돌면 $30 \times 3 = 90 \,(\text{cm})$를 굴러가므로

$405 \,\text{cm}$를 굴리면 $405 \div 90 = 4.5(\text{바퀴})$로 4바퀴 반

을 돌고 멈춥니다. 따라서 주어진 시계가 4바퀴 반 돌

았을 때의 모양은 ㉢과 같습니다.

누구나 100점 TEST 128쪽~129쪽

1 ⑩ $8 : 1 = 320 : \square$ / $40 \,\text{g}$

2 ⑩ $4 : 5$

3 ⑩ $6 : 5 = 180 : \square$ / 2시간 30분

4 ⑩ $3 : 18 = \square : 150$ / 25분

5 800억 원 6 $14 \,\text{cm}$

7 $60 \,\text{cm}$ 8 $148.8 \,\text{m}$

---

1 넣어야 하는 콩의 무게를 $\square\,\text{g}$이라 하고 비례식을 세

우면 $8 : 1 = 320 : \square$입니다.

$\rightarrow 8 \times \square = 1 \times 320$, $8 \times \square = 320$, $\square = 40$

따라서 콩은 $40\,\text{g}$ 넣어야 합니다.

2 평행선 사이의 거리를 $\square\,\text{cm}$라 하면

(가의 넓이) : (나의 넓이)

$= (12 \times \square \div 2) : (15 \times \square \div 2)$

$\rightarrow (12 \times \square) : (15 \times \square) \rightarrow 12 : 15 \rightarrow 4 : 5$

3 $180\,\text{km}$를 달리는 데 걸리는 시간을 $\square$분이라 하고

비례식을 세우면 $6 : 5 = 180 : \square$입니다.

$\rightarrow 6 \times \square = 5 \times 180$, $6 \times \square = 900$, $\square = 150$

따라서 $180\,\text{km}$를 달리는 데 150분 $= 2$시간 30분이

걸립니다.

4 욕조에 물을 가득 채우는 데 걸리는 시간을 $\square$분이라

하고 비례식을 세우면 $3 : 18 = \square : 150$입니다.

$\rightarrow 3 \times 150 = 18 \times \square$, $18 \times \square = 450$, $\square = 25$

따라서 적어도 25분 동안 물을 받아야 합니다.

5 가 회사와 나 회사가 투자한 금액의 비

(가 회사) : (나 회사) $\rightarrow$ 2조 : 3조

$\rightarrow (2조 \div 1조) : (3조 \div 1조)$

$\rightarrow 2 : 3$

(가 회사가 가지게 되는 이익금)

$= 2000억 \times \dfrac{2}{2+3} = 2000억 \times \dfrac{2}{5} = 800억 \,(\text{원})$

6 파란색 원의 원주는 빨간색 원 3개의 원주의 합과 같습

니다.

$\rightarrow$ (파란색 원의 지름) $= 43.4 \div 3.1 = 14 \,(\text{cm})$

7 (태극 문양의 지름) $= 40 \times \dfrac{1}{2} = 20 \,(\text{cm})$

㉠ $= 20 \times 3 \div 2 = 30 \,(\text{cm})$,

㉡ $= (20 \div 2) \times 3 \div 2 = 15 \,(\text{cm})$,

㉢ $= (20 \div 2) \times 3 \div 2 = 15 \,(\text{cm})$

$\rightarrow$ (태극 문양 중 파란색 부분의 둘레)

$= ㉠ + ㉡ + ㉢ = 30 + 15 + 15 = 60 \,(\text{cm})$

8 바퀴 자가 한 바퀴 돈 거리가 $60 \times 3.1 = 186 \,(\text{cm})$이므

로 80바퀴 돈 거리는 $186 \times 80 = 14880 \,(\text{cm})$입니다.

따라서 집에서 마트까지의 거리는

$14880\,\text{cm} = 148.8\,\text{m}$입니다.

4주

4주에는 무엇을 공부할까? ❷　132쪽~133쪽

1-1　3, 3, 28.26

1-2　(위에서부터) $2 \times 2 \times 3$, 12 / $5 \times 5 \times 3$, 75

2-1　111.6 cm²　　2-2　148.8 cm²

3-1　( )(○)( )　　3-2　(○)( )(○)

4-1　7 cm　　4-2　ⓒ

5-1　높이　　5-2　모선의 길이

1-2　(원의 넓이)＝(반지름)×(반지름)×(원주율)

2-1　색칠한 부분의 넓이는 지름이 12 cm인 원 1개의 넓이
　　와 같습니다.
　　➡ $6 \times 6 \times 3.1 = 111.6$ (cm²)

2-2　색칠한 부분의 넓이는 반지름이 8 cm인 원의 넓이의
　　$\frac{3}{4}$입니다.
　　➡ $8 \times 8 \times 3.1 \times \frac{3}{4} = 148.8$ (cm²)

3-1　위와 아래에 있는 면이 서로 평행하고 합동인 원으로
　　이루어진 입체도형을 찾습니다.

3-2　평평한 면이 원이고 옆을 둘러싼 면이 굽은 면인 입체도
　　형을 찾습니다.

4-1　두 밑면에 수직인 선분의 길이가 높이입니다.

5-1　원뿔의 꼭짓점에서 밑면에 수직인 선분의 길이를 재고
　　있으므로 높이를 재는 방법입니다.

5-2　원뿔의 꼭짓점에서 밑면인 원의 둘레의 한 점을 이은
　　선분의 길이를 재고 있으므로 모선의 길이를 재는 방법
　　입니다.

1일　개념·원리　길잡이　134쪽~135쪽

활동 문제 **134**쪽

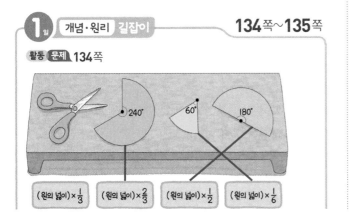

활동 문제 **135**쪽

활동 문제 **134**쪽

(원 조각의 넓이)＝(원의 넓이)×$\dfrac{(\text{원 조각의 각도의 수})}{360}$

・(원의 넓이)×$\dfrac{240}{360}$＝(원의 넓이)×$\dfrac{2}{3}$

・(원의 넓이)×$\dfrac{60}{360}$＝(원의 넓이)×$\dfrac{1}{6}$

・(원의 넓이)×$\dfrac{180}{360}$＝(원의 넓이)×$\dfrac{1}{2}$

활동 문제 **135**쪽

　➡ 색칠한 부분의 넓이는 원의 넓이에서 사각형의 넓이를 빼서 구할 수 있습니다.

　➡ 색칠한 부분의 넓이는 원 1개의 넓이와 삼각형의 넓이를 더해서 구할 수 있습니다.

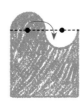　➡ 색칠한 부분의 넓이는 반원을 옮겨서 사각형의 넓이로 구할 수 있습니다.

1일　서술형 길잡이　독해력 길잡이　136쪽~137쪽

1-1　192 m²

1-2　(1) 151.9 cm²　(2) 49.6 cm²　(3) 27.9 cm²
　　(4) 74.4 cm²

2-1　465 cm²

2-2　
반지름이 12 cm인 원 모양의 피자를 먹고 그림과 같이 남았습니다. 남은 피자의 넓이는 몇 cm²
인지 구해 보세요. (원주율: 3)

맛있는 피자를 혼자 먹고 있었어?

남긴 피자가 □cm²나 된다고

80°

336 cm²

1-1　반원의 넓이는 $16 \times 16 \times 3 \div 2 = 384$ (m²)이고 원의
　　넓이는 $8 \times 8 \times 3 = 192$ (m²)입니다. 따라서 꽃밭이
　　되는 부분의 넓이는 $384 - 192 = 192$ (m²)입니다.

1-2 (1) 가장 큰 원의 반지름은 $(8+6) \div 2 = 7$ (cm)이므로
$7 \times 7 \times 3.1 = 151.9$ (cm²)입니다.

(2) 중간 크기의 원의 반지름은 $8 \div 2 = 4$ (cm)이므로
$4 \times 4 \times 3.1 = 49.6$ (cm²)입니다.

(3) 가장 작은 원의 반지름은 $6 \div 2 = 3$ (cm)이므로
$3 \times 3 \times 3.1 = 27.9$ (cm²)입니다.

(4) (색칠한 부분의 넓이)
$=$ (가장 큰 원의 넓이)$-$(중간 크기의 원의 넓이)
$\qquad$ $-$(가장 작은 원의 넓이)
$= 151.9 - 49.6 - 27.9 = 74.4$ (cm²)

2-1 피자 한 판의 넓이는 $20 \times 20 \times 3.1 = 1240$ (cm²)입니다.

피자 한 판을 똑같이 8조각으로 나누고 그중 5조각을 먹었으므로 남은 피자는 3조각이고 한 판의 $\frac{3}{8}$입니다.

따라서 남은 피자의 넓이는 $1240 \times \frac{3}{8} = 465$ (cm²)입니다.

2-2 피자 한 판의 넓이는 $12 \times 12 \times 3 = 432$ (cm²)입니다.

남은 피자 조각의 각도는 $360° - 80° = 280°$이므로 남은 피자는 한 판의 $\frac{280}{360} = \frac{7}{9}$입니다.

따라서 남은 피자의 넓이는
$432 \times \frac{7}{9} = 336$ (cm²)입니다.

---

1 사고력·코딩 $\qquad$ **138**쪽~**139**쪽

1 (1) 310 cm² (2) 930 cm² (3) 1550 cm²

2 2100 cm²

3 9200 m²

4 40.5 cm²

---

1 (1) 노란색 부분이 차지하는 넓이는 반지름이 10 cm인 원의 넓이와 같습니다.
➡ $10 \times 10 \times 3.1 = 310$ (cm²)

(2) (빨간색 부분이 차지하는 넓이)
$=$ (반지름이 20 cm인 원의 넓이)
$\qquad$ $-$(반지름이 10 cm인 원의 넓이)
$= 20 \times 20 \times 3.1 - 10 \times 10 \times 3.1$
$= 1240 - 310 = 930$ (cm²)

(3) (파란색 부분이 차지하는 넓이)
$=$ (반지름이 30 cm인 원의 넓이)
$\qquad$ $-$(반지름이 20 cm인 원의 넓이)
$= 30 \times 30 \times 3.1 - 20 \times 20 \times 3.1$
$= 2790 - 1240 = 1550$ (cm²)

2 원 모양 돌림판의 반지름은 $70 \div 2 = 35$ (cm)이고 모두 14칸으로 나누어져 있으므로 한 칸의 넓이는
$35 \times 35 \times 3 \div 14 = 262.5$ (cm²)입니다.
이 중 꽝이 나오는 칸이 8칸이므로 이 부분의 넓이는 모두 $262.5 \times 8 = 2100$ (cm²)입니다.

3 트랙 부분만 색칠하여 생각해 보고 다음과 같이 나누어 넓이를 구할 수 있습니다.

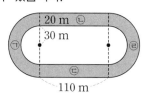

- ㉠＋㉣: 반지름이 50 m인 원의 넓이에서 반지름이 30 m인 원의 넓이를 뺀 것과 같습니다.
➡ (㉠과 ㉣의 넓이의 합)
$= 50 \times 50 \times 3 - 30 \times 30 \times 3$
$= 7500 - 2700 = 4800$ (m²)

- ㉡, ㉢: 각각 가로가 110 m, 세로가 20 m인 직사각형입니다.
➡ (㉡과 ㉢의 넓이의 합)
$= (110 \times 20) \times 2 = 4400$ (m²)

따라서 선수들이 달리는 트랙 부분의 넓이는 모두 $4800 + 4400 = 9200$ (m²)입니다.

4 겹친 부분만 색칠하여 다음과 같은 방법으로 구할 수 있습니다.

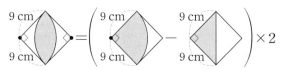

➡ (겹친 부분의 넓이)
$= (9 \times 9 \times 3 \div 4 - 9 \times 9 \div 2) \times 2$
$= (60.75 - 40.5) \times 2$
$= 20.25 \times 2 = 40.5$ (cm²)

2-2 314÷3.14=100, 10×10=100이므로 얼음판의
반지름은 10 cm입니다.
따라서 (지름)=10×2=20 (cm)이므로
(원주)=20×3.14=62.8 (cm)입니다.
➡ 얼음 구멍의 원주는 얼음판의 원주와 같으므로
62.8 cm입니다.

2일 개념·원리 길잡이 140쪽~141쪽

활동 문제 140쪽
3.1, 6, 6, 3 / 3, 3, 3.1, 27.9

활동 문제 141쪽
4, 2, 2, 4 / 4, 3.1, 12.4

활동 문제 140쪽
(지름)=18.6÷3.1=6 (m), (반지름)=6÷2=3 (m),
(연못의 넓이)=3×3×3.1=27.9 (m²)

활동 문제 141쪽
반지름: 12.4÷3.1=4, 2×2=4이므로 반지름은 2 m입니다.
(지름)=2×2=4 (m),
(연못의 둘레)=4×3.1=12.4 (m)

2일 서술형 길잡이 독해력 길잡이 142쪽~143쪽

1-1 49.6 m²
1-2 (1) 27 cm (2) 4.5 cm (3) 60.75 cm²
2-1 240 cm
2-2 얼음 낚시를 하기 위해 빙판에 원 모양의 구멍을 냈습니다. 구멍을 낸 원 모양 얼음판의 넓이가 314 cm²일 때 얼음 구멍의 원주는 몇 cm인지 구해 보세요. (원주율: 3.14)

62.8 cm

1-1 (지름)=24.8÷3.1=8 (m),
(반지름)=8÷2=4 (m)
➡ (농장의 넓이)=4×4×3.1=49.6 (m²)

1-2 (1) 계란프라이 틀의 원주와 만든 계란프라이의 둘레가 같습니다.
(2) (지름)=27÷3=9 (cm)
➡ (반지름)=9÷2=4.5 (cm)
(3) (넓이)=4.5×4.5×3=60.75 (cm²)

2-1 맨홀 뚜껑을 한 바퀴 굴렸을 때 굴러간 거리는 맨홀 뚜껑의 원주와 같습니다.
4800÷3=1600, 40×40=1600이므로 맨홀 뚜껑의 반지름은 40 cm입니다.
따라서 (지름)=40×2=80 (cm)이므로
(원주)=80×3=240 (cm)입니다.

2일 사고력·코딩 144쪽~145쪽

1 ㉡   **2** 22 cm
3 희연   **4** 310 cm²

1 안쪽의 둘레가 93 cm이므로 굴렁쇠의 안쪽은 지름이 93÷3.1=30 (cm)입니다.
따라서 물건의 너비가 30 cm보다 짧은 쪽이 있어야 통과할 수 있습니다.
㉠과 ㉢은 물건의 너비가 30 cm보다 짧은 쪽이 있으므로 통과할 수 있고, ㉡은 어느 쪽이든 30 cm보다 길므로 통과할 수 없습니다.

2 호두파이의 넓이가 363 cm²이면 363÷3=121,
11×11=121이므로 호두파이의 반지름은 11 cm,
지름은 22 cm입니다.
따라서 지름이 22 cm인 호두파이를 넣을 수 있는 사각기둥 모양 상자의 밑면의 한 변의 길이는 적어도 22 cm 이상이어야 합니다.

3 케이크를 한 바퀴 두르는 데 사용한 리본의 길이는 케이크의 원주와 같습니다.
원주가 54 cm이면 케이크의 지름은
54÷3=18 (cm)이고 반지름은 9 cm입니다.
따라서 케이크 판의 지름은 18 cm 이상이고 반지름은 9 cm 이상이므로 넓이는 9×9×3=243 (cm²) 이상입니다.

4 철사를 사용하여 만들 수 있는 가장 큰 원의 원주는 철사의 길이와 같습니다.
원주가 62 cm이면 지름은 62÷3.1=20 (cm)이고 반지름은 10 cm입니다.
따라서 색칠한 부분의 넓이는
10×10×3.1=310 (cm²)입니다.

3일 개념·원리 길잡이   **146**쪽~**147**쪽

활동 문제 **146**쪽

나, 아 / 다, 마 / 라, 바 / 가, 사

활동 문제 **147**쪽

❶ 4   ❷ 6   ❸ 7

활동 문제 **146**쪽

• 각기둥: 서로 평행한 두 면이 합동인 다각형으로 이루어진 입체도형 ➡ 나, 아

• 원기둥: 서로 평행한 두 면이 합동인 원으로 이루어진 입체도형 ➡ 다, 마

• 각뿔: 밑에 놓인 면이 다각형이고 옆으로 둘러싼 면이 모두 삼각형인 입체도형 ➡ 라, 바

• 원뿔: 밑에 놓인 면이 원이고 옆으로 둘러싼 면인 굽은 면인 입체도형 ➡ 가, 사

활동 문제 **147**쪽

❶ (원기둥의 높이)=(직사각형의 세로)=4 cm

❷ (원뿔의 밑면의 반지름)=(직각삼각형의 밑변의 길이)
                        =6 cm

❸ (구의 반지름)=(반원의 반지름)=7 cm

3일 서술형 길잡이 독해력 길잡이   **148**쪽~**149**쪽

1-1 ㉢ / 예 밑면이 원입니다.

1-2 (1) ㉡   (2) 예 밑면이 1개입니다.

1-3 (1) ㉠, ㉡, ㉢, ㉣   (2) ㉠, ㉡, ㉢   (3) ㉣

2-1 10 cm

2-2 한 변을 기준으로 직각삼각형 모양의 종이를 한 바퀴 돌려 입체도형을 각각 만들었습니다. 만들어진 두 입체도형의 높이의 차는 몇 cm인지 구해 보세요.

     3 cm

2-3 14 cm

1-1 ㉢ 원기둥의 밑면은 원입니다.

1-2 ㉡ 원뿔은 밑면이 1개입니다.

1-3 모선은 원뿔에서 원뿔의 꼭짓점과 밑면인 원의 둘레의 한 점을 이은 선분입니다. 원기둥에는 모선이 없습니다.

2-1 한 변을 기준으로 직사각형 모양의 종이를 돌리면 원기둥이 됩니다.
    ㉠의 밑면의 반지름은 8 cm, ㉡의 밑면의 반지름은 18 cm입니다.
    ➡ 18-8=10 (cm)

2-2 한 변을 기준으로 직각삼각형 모양의 종이를 돌리면 원뿔이 됩니다.
    ㉠의 높이는 12 cm, ㉡의 높이는 9 cm입니다.
    ➡ 12-9=3 (cm)

2-3 만들어진 입체도형은 ㉠ 원기둥, ㉡ 원뿔입니다.
    ㉠의 밑면의 지름은 5×2=10 (cm), ㉡의 밑면의 지름은 12×2=24 (cm)입니다.
    ➡ 24-10=14 (cm)

3일 사고력·코딩   **150**쪽~**151**쪽

1 예 밑면이 서로 평행하고 합동입니다.
    / 예 원기둥에는 꼭짓점이 없지만 각기둥에는 있습니다.

2 구   **3** ㉣, ㉠, ㉡, ㉢

4 24 cm²   **5** 예

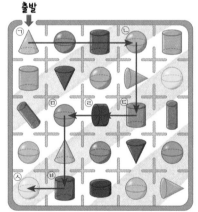

2

출발

㉠ 원뿔이므로 오른쪽으로 3칸 이동합니다.

㉡ 구이므로 아래쪽으로 2칸 이동합니다.

㉢ 원기둥이므로 왼쪽으로 1칸 이동합니다.

㉣ 원기둥이므로 왼쪽으로 1칸 이동합니다.

㉤ 구이므로 아래쪽으로 2칸 이동합니다.

㉥ 원기둥이므로 왼쪽으로 1칸 이동합니다.

㉦ 구이므로 아래쪽으로 2칸 이동해야 하는데 이동할 수 없습니다.

따라서 명령어에 따라 이동했을 때 마지막에 있는 입체도형은 구입니다.

3 ㉠ 2개, ㉡ 1개, ㉢ 0개, ㉣ 셀 수 없이 많습니다.

→ ㉣, ㉠, ㉡, ㉢

4

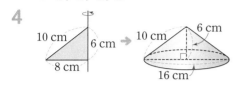

(돌리기 전 도형의 넓이)$=8 \times 6 \div 2 = 24 \, (\text{cm}^2)$

5

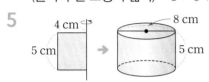

가로가 $4 \, \text{cm}$, 세로가 $5 \, \text{cm}$인 직사각형 모양의 종이를 세로를 기준으로 돌려서 만든 원기둥입니다.

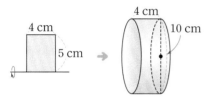

가로가 $4 \, \text{cm}$, 세로가 $5 \, \text{cm}$인 직사각형 모양의 종이를 가로를 기준으로 돌리면 높이가 $4 \, \text{cm}$, 밑면의 지름이 $5 \times 2 = 10 \, (\text{cm})$인 원기둥이 됩니다.

4일 **개념·원리 길잡이** **152**쪽~**153**쪽

활동 문제 152쪽

❶

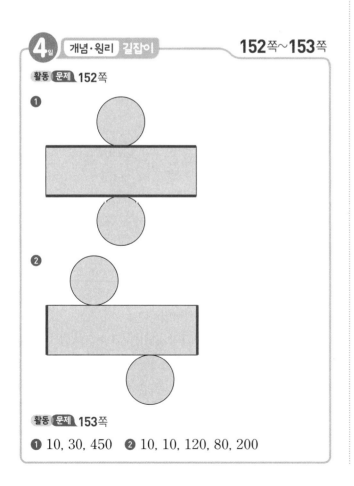

활동 문제 153쪽

❶ 10, 30, 450   ❷ 10, 10, 120, 80, 200

활동 문제 152쪽

❶ 전개도를 접었을 때 밑면의 둘레와 겹쳐지는 곳은 옆면의 가로입니다.

❷ 원기둥의 높이는 옆면의 세로와 같습니다.

활동 문제 153쪽

❷ 굽은 면 부분은 밑면의 지름이 $4 \, \text{cm}$, 높이가 $10 \, \text{cm}$인 원기둥의 옆면의 넓이와 같습니다.

평평한 면 부분은 가로가 $4 \times 2 = 8 \, (\text{cm})$, 세로가 $10 \, \text{cm}$인 직사각형의 넓이와 같습니다.

4일 **서술형 길잡이** **독해력 길잡이** **154**쪽~**155**쪽

1-1 $88 \, \text{cm}$

1-2 ⑴ $31 \, \text{cm}$ ⑵ $148 \, \text{cm}$

1-3 15, 47.1, 47.1, 16, 220.4

2-1 $2520 \, \text{cm}^2$

2-2 다음과 같은 원기둥 모양의 롤러에 페인트를 묻혀 5바퀴 굴렸습니다. 페인트가 칠해진 부분의 넓이는 몇 cm²인지 구해 보세요. (원주율: 3.1)

$11160 \, \text{cm}^2$

2-3 $630 \, \text{cm}^2$

1-1 밑면의 둘레는 $6 \times 3 = 18 \, (\text{cm})$입니다.

따라서 원기둥의 전개도의 둘레는

$18 \times 4 + 8 \times 2 = 72 + 16 = 88 \, (\text{cm})$입니다.

1-2 ⑴ $10 \times 3.1 = 31 \, (\text{cm})$

⑵ $31 \times 4 + 12 \times 2 = 124 + 24 = 148 \, (\text{cm})$

1-3 (원기둥의 전개도의 둘레)

$= 47.1 \times 4 + 16 \times 2 = 188.4 + 32 = 220.4 \, (\text{cm})$

2-1 (옆면의 가로)=(밑면의 둘레)

$= 7 \times 2 \times 3 = 42 \, (\text{cm})$

→ (옆면의 넓이)$= 42 \times 30 = 1260 \, (\text{cm}^2)$

따라서 페인트가 칠해진 부분의 넓이는

$1260 \times 2 = 2520 \, (\text{cm}^2)$입니다.

2-2 (옆면의 가로)=(밑면의 둘레)

$= 9 \times 2 \times 3.1 = 55.8 \, (\text{cm})$

→ (옆면의 넓이)$= 55.8 \times 40 = 2232 \, (\text{cm}^2)$

따라서 페인트가 칠해진 부분의 넓이는

$2232 \times 5 = 11160 \, (\text{cm}^2)$입니다.

정답 및 해설

2-3 음료수 캔 1개의 지름은 $12 \div 2 = 6$ (cm)입니다.

$$(포장지의 넓이) = (굽은 면 부분) + (평평한 면 부분)$$
$$= (6 \times 3 \times 15) + (12 \times 2 \times 15)$$
$$= 270 + 360 = 630 \, (cm^2)$$

4일 | 사고력·코딩 | **156쪽~157쪽**

1 $7536 \, cm^2$	**2** 5바퀴	**3** $204 \, cm$
4 $546 \, cm^2$	**5** 가	

1 해충포집기의 넓이는 밑면의 반지름이 30 cm, 높이가 40 cm인 원기둥의 옆면의 넓이와 같습니다.
따라서 해충포집기의 넓이는
$30 \times 2 \times 3.14 \times 40 = 7536 \, (cm^2)$입니다.

2 (옆면의 가로) = (밑면의 둘레)
$$= 8 \times 2 \times 3.1 = 49.6 \, (cm)$$
➡ (옆면의 넓이) = $49.6 \times 30 = 1488 \, (cm^2)$
따라서 롤러를 적어도 $7440 \div 1488 = 5$(바퀴) 굴린 것입니다.

3 (옆면의 가로) = (밑면의 둘레) = $15 \times 3 = 45$ (cm)
옆면의 세로를 ☐ cm라 하면
$45 \times ☐ = 540$, $☐ = 540 \div 45 = 12$입니다.
따라서 전개도의 둘레는
$45 \times 4 + 12 \times 2 = 180 + 24 = 204$ (cm)입니다.

4 음료수 캔 1개의 지름은 $10 \div 2 = 5$ (cm)입니다.
$$(포장지의 넓이) = (굽은 면 부분) + (평평한 면 부분)$$
$$= (5 \times 3.1 \times 12) + (10 \times 3 \times 12)$$
$$= 186 + 360 = 546 \, (cm^2)$$

5
가
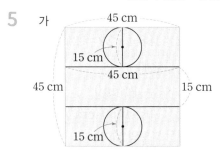

나
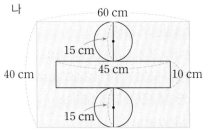

(옆면의 가로) = (밑면의 둘레) = $15 \times 3 = 45$ (cm)
가: (원기둥의 최대 높이)
$$= (종이의 세로) - (밑면의 지름) \times 2$$
$$= 45 - 15 \times 2 = 15 \, (cm)$$
나: 옆면의 가로가 종이의 세로보다 길므로 전개도에서 두 밑면이 위와 아래에 놓이게 그려야 합니다.
(원기둥의 최대 높이)
$$= (종이의 세로) - (밑면의 지름) \times 2$$
$$= 40 - 15 \times 2 = 10 \, (cm)$$
따라서 $15 > 10$이므로 종이 가에 그려야 합니다.

5일 | 개념·원리 길잡이 | **158쪽~159쪽**

활동 문제 **158쪽**
나, 라, 마
활동 문제 **159쪽**
❶ 원기둥, 원기둥 ❷ 원뿔, 원뿔

활동 문제 **158쪽**
• 위, 앞, 옆에서 본 모양이 각각 원, 사각형, 사각형인 입체도형 ➡ 원기둥
• 위, 앞, 옆에서 본 모양이 각각 원, 삼각형, 삼각형인 입체도형 ➡ 원뿔
• 위, 앞, 옆에서 본 모양이 모두 원인 입체도형 ➡ 구

5일 | 서술형 길잡이 | 독해력 길잡이 | **160쪽~161쪽**

1-1 $70 \, cm^2$
1-2 (1) 이등변삼각형에 ○표 (2) $48 \, cm^2$
1-3 9, 9, 9, 243 **2**-1 45°, 45°
2-2 원뿔과 원뿔을 앞에서 본 모양입니다. ㉠과 ㉡에 알맞은 각도는 각각 몇 도인지 구해 보세요.
70°, 70°
2-3 9 cm

1-1 원기둥을 옆에서 본 모양은 가로가 $5 \times 2 = 10$ (cm), 세로가 7 cm인 직사각형입니다.
따라서 옆에서 본 모양의 넓이는 $10 \times 7 = 70 \, (cm^2)$입니다.

1-2 (1) 원뿔을 앞에서 본 모양은 밑변의 길이가
$8 \times 2 = 16$ (cm), 높이가 6 cm인 이등변삼각형입니다.
(2) $16 \times 6 \div 2 = 48 \, (cm^2)$

1-3 구를 위에서 본 모양은 반지름이 $18 \div 2 = 9$ (cm)인 원입니다.

2-1 삼각형의 세 각의 크기의 합은 180°이므로
ㄱ＋ㄴ＋90°＝180°, ㄱ＋ㄴ＝180°－90°＝90°
입니다.
원뿔을 앞에서 본 모양은 이등변삼각형이므로 ㄱ＝ㄴ
이고 ㄱ＝ㄴ＝90°÷2＝45°입니다.

2-2 삼각형의 세 각의 크기의 합은 180°이므로
ㄱ＋ㄴ＋40°＝180°, ㄱ＋ㄴ＝180°－40°＝140°
입니다.
원뿔을 앞에서 본 모양은 이등변삼각형이므로 ㄱ＝ㄴ
이고 ㄱ＝ㄴ＝140°÷2＝70°입니다.

2-3

삼각형의 세 각의 크기의 합은 180°이
므로 ㄱ＋ㄴ＋60°＝180°,
ㄱ＋ㄴ＝180°－60°＝120°입니다.
원뿔을 앞에서 본 모양은 이등변삼각형이므로 ㄱ＝ㄴ
이고 ㄱ＝ㄴ＝120°÷2＝60°입니다.
따라서 정삼각형이므로 세 변의 길이의 합은
$3 \times 3 = 9$ (cm)입니다.

5일 사고력·코딩　　　　　　　**162쪽~163쪽**

1 18 cm　　　　　　**2** 1256 cm²
3 54 cm²　　　　　　**4** 36 cm
5 672 cm²

---

1 앞에서 본 모양이 두 변의 길이가 8 cm이고 높이가
10 cm인 이등변삼각형이므로 원뿔의 모선의 길이는
8 cm이고 원뿔의 높이는 10 cm입니다.
→ $8 + 10 = 18$ (cm)

2 가장 큰 단면은 원의 반지름이 구의 반지름일 때이므로
원의 반지름은 $40 \div 2 = 20$ (cm)입니다.
따라서 단면의 넓이는 $20 \times 20 \times 3.14 = 1256$ (cm²)
입니다.

3 자른 도형을 앞에서 본 모양은 밑변의 길이가 9 cm,
높이가 12 cm인 직각삼각형입니다.
따라서 앞에서 본 모양의 넓이는
$9 \times 12 \div 2 = 54$ (cm²)입니다.

4

원뿔을 앞에서 본 모양은 이등변삼각형
이므로 ㄱ＝60°입니다.

ㄴ＝180°－60°－60°＝60°이므로 원뿔을 앞에서
본 모양은 세 각의 크기가 모두 60°인 정삼각형이고 한
변의 길이는 밑면의 지름과 같으므로 $9 \times 2 = 18$ (cm)
입니다.
따라서 개미가 움직인 거리는 $18 \times 2 = 36$ (cm)입니다.

5 원기둥을 앞에서 본 모양은 가로가 $12 \times 2 = 24$ (cm),
세로가 20 cm인 직사각형이므로 넓이는
$24 \times 20 = 480$ (cm²)입니다.
원뿔을 앞에서 본 모양은 밑변의 길이가
$12 \times 2 = 24$ (cm), 높이가 16 cm인 이등변삼각형이
므로 넓이는 $24 \times 16 \div 2 = 192$ (cm²)입니다.
따라서 근우가 만든 집 모양을 앞에서 본 모양의 넓이
는 $480 + 192 = 672$ (cm²)입니다.

4주 특강 　창의·융합·코딩　　　**164쪽~169쪽**

1 ❶ 원뿔　❷ 모선　❸ 원기둥　❹ 구

2

3 구　　　　　　**4** 예 ■×■×3.14

5
　　　　　　　　　　6 400 cm²
　　　　　　　　　　7 31 cm²
　　　　　　　　　　8 56.52 cm
　　　　　　　　　　9 360 cm²
　　　　　　　　　　10 90 cm²

---

2 범인❶: $9 \times 3.14 = 28.26$ (cm)
범인❷: $5 \times 5 \times 3.14 = 78.5$ (cm²)

3 꼭짓점과 모서리, 밑면이 없고 어느 방향에서 보아도
모양이 같은 입체도형은 구입니다.

4 (원의 넓이)＝(반지름)×(반지름)×(원주율)이므로 반지름을 ■ cm로 하는 원의 넓이는 ■×■×3.14로 계산합니다.

5 원기둥에 일정한 각도를 유지하면서 선을 그었으므로 전개도에서 선분으로 나타냅니다.

6 120°는 360°의 $\frac{120}{360}=\frac{1}{3}$이므로 원의 넓이의 $\frac{1}{3}$을 구합니다. 따라서 도형의 넓이는
$20×20×3×\frac{1}{3}=400$ (cm²)입니다.

7 (노란색으로 칠한 부분의 넓이)
＝(반지름이 6 cm인 반원의 넓이)
　－(반지름이 4 cm인 반원의 넓이)
＝(6×6×3.1)÷2－(4×4×3.1)÷2
＝55.8－24.8＝31 (cm²)

8 빨간색 철사는 모선을 나타내는 선분 6개와 밑면의 지름을 나타내는 선분 3개에 사용했습니다.
밑면의 지름을 □ cm라 하면 빨간색 철사의 길이는 15×6＋□×3＝144이므로 90＋□×3＝144, □×3＝54, □＝18입니다.
➡ (파란색 철사의 길이)＝(밑면의 둘레)
　　　　　　　　　　＝18×3.14＝56.52 (cm)

9 밑면의 반지름을 □ cm라 하면
□×□×3＝27, □×□＝9, □＝3이므로 밑면의 둘레는 3×2×3＝18 (cm)입니다.
따라서 (옆면의 넓이)＝18×20＝360 (cm²)입니다.

10

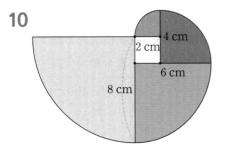

(파란색 부분의 넓이)＝$2×2×3×\frac{1}{4}=3$ (cm²)

(빨간색 부분의 넓이)＝$4×4×3×\frac{1}{4}=12$ (cm²)

(초록색 부분의 넓이)＝$6×6×3×\frac{1}{4}=27$ (cm²)

(노란색 부분의 넓이)＝$8×8×3×\frac{1}{4}=48$ (cm²)

➡ (색칠한 부분의 넓이)
　＝3＋12＋27＋48＝90 (cm²)

누구나 100점 TEST **170쪽~171쪽**

1 3 cm 　**2** 116 cm 　**3** 432 cm²
4 243 cm² 　**5** 48 cm 　**6** 55°, 55°
7 1008 cm² 　**8** 75 cm²

1 한 변을 기준으로 직사각형 모양의 종이를 돌리면 원기둥이 됩니다.
㉠의 밑면의 반지름은 6 cm, ㉡의 밑면의 반지름은 9 cm입니다.
➡ 9－6＝3 (cm)

2 밑면의 둘레는 8×3＝24 (cm)입니다.
따라서 원기둥의 전개도의 둘레는
24×4＋10×2＝96＋20＝116 (cm)입니다.

〔참고〕
원기둥의 전개도의 둘레는 밑면의 둘레를 4번, 원기둥의 높이를 2번 더한 길이와 같습니다.

3 구를 옆에서 본 모양은 반지름이 24÷2＝12 (cm)인 원입니다. 따라서 구를 옆에서 본 모양의 넓이는
12×12×3＝432 (cm²)입니다.

4 원의 반지름을 □ cm라 하면
□×2×3＝54, □×2＝18, □＝9입니다.
따라서 원의 넓이는 9×9×3＝243 (cm²)입니다.

5 원의 반지름을 □ cm라 하면
□×□×3＝192, □×□＝64, □＝8입니다.
따라서 원의 원주는 8×2×3＝48 (cm)입니다.

6 삼각형의 세 각의 크기의 합은 180°이므로
㉠＋㉡＋70°＝180°, ㉠＋㉡＝180°－70°＝110°입니다.
원뿔을 앞에서 본 모양은 이등변삼각형이므로 ㉠＝㉡이고 ㉠＝㉡＝110°÷2＝55°입니다.

7 (옆면의 가로)＝(밑면의 둘레)
　　　　　　　＝6×2×3＝36 (cm)
➡ (옆면의 넓이)＝36×14＝504 (cm²)
따라서 페인트가 칠해진 부분의 넓이는
504×2＝1008 (cm²)입니다.

8 반원의 넓이는 10×10×3÷2＝150 (cm²)이고 원의 넓이는 5×5×3＝75 (cm²)입니다.
따라서 색칠한 부분의 넓이는 150－75＝75 (cm²)입니다.

memo

memo

정답은
이안에
있어！

기초 학습능력 강화 프로그램
매일 조금씩 공부력 UP!

하루 독해   하루 어휘   하루 글쓰기   하루 VOCA

하루 수학   하루 계산   하루 도형   하루 사고력

하루 사회   하루 과학

과목	교재 구성	과목	교재 구성
하루 수학	1~6학년 1·2학기 12권	하루 사고력	1~6학년 A·B단계 12권
하루 VOCA	3~6학년 A·B단계 8권	하루 글쓰기	예비초~6학년 A·B단계 14권
하루 사회	3~6학년 1·2학기 8권	하루 한자	1~6학년 A·B단계 12권
하루 과학	3~6학년 1·2학기 8권	하루 어휘	1~6단계 6권
하루 도형	1~6단계 6권	하루 독해	예비초~6학년 A·B단계 12권
하루 계산	1~6학년 A·B단계 12권		

※ 각 교재별 출간 시기는 조금씩 다르며, 일부 교재는 순차적으로 출시될 예정입니다.

배움으로 행복한 내일을 꿈꾸는
천재교육 커뮤니티 안내 . . .

교재 안내부터 구매까지 한 번에!
천재교육 홈페이지

천재교육 홈페이지에서는 자사가 발행하는 참고서,
교과서에 대한 소개는 물론 도서 구매도 할 수 있습니다.
회원에게 지급되는 별을 모아 다양한 상품 응모에도
도전해 보세요.

구독, 좋아요는 필수! 핵유용 정보 가득한
천재교육 유튜브 <천재TV>

신간에 대한 자세한 정보가 궁금하세요?
참고서를 어떻게 활용해야 할지 고민인가요?
공부 외 다양한 고민을 해결해 줄 채널이 필요한가요?
학생들에게 꼭 필요한 콘텐츠로 가득한 천재TV로 놀러 오세요!

다양한 교육 꿀팁에 깜짝 이벤트는 덤!
천재교육 인스타그램

천재교육의 새롭고 중요한 소식을 가장 먼저 접하고 싶다면?
천재교육 인스타그램 팔로우가 필수!
누구보다 빠르고 재미있게 천재교육의 소식을 전달합니다.
깜짝 이벤트도 수시로 진행되니 놓치지 마세요!